D0279073

COLLECTION POÉSIE

ANDRÉ FRÉNAUD

La Sorcière
de Romc

SUIVI DE

Depuis toujours déjà

Préface
de Peter Broome

GALLIMARD

PRÉFACE

Depuis toujours déjà... ampleur et exiguïté du temps, lenteur et vitesse, délai et hâte inopportune, bienveillance et malice, continuité et coupure, rêve éternel et rappel à l'ordre, étendue illimitée et impasse. La poésie d'André Frénaud s'interroge à tous les seuils du temps. Elle s'ausculte pour écouter les frémissements d'une pérennité possible. Elle se cherche parmi la débandade des saisons. Automne, le nouvel an, minuit : autant de moments de la quête, transitions hésitantes où ce qui meurt se renouvelle et prépare imperceptiblement sa résurrection. Emporté dans l'éboulement du présent, le poète entrevoit les visages incertains de ce qu'il fut et de ce qu'il sera. Présent, preuve de mort ; passé, preuve de vie : à mesure que l'un s'épuise et s'efface, l'autre ne cesse de redistribuer ses énergies obscures. L'accompli n'aura jamais dit son dernier mot. Reconnaître ce qui n'est plus, c'est remuer les élans de l'avenir, cet « avenir aux fanaux troubles » qui évolue vers on ne sait quelle plénitude ou néant, toujours dévoré par la bouche avide du présent mais englobant ce présent et le prolongeant dans l'infini. « Pas encore finie ma vie puisque j'avoue / l'autrefois », écrit Frénaud dans Les Saisons. *Et dans* Vieux pays, *méditation tortueuse dont l'exergue parle d'une première lueur désormais éteinte qui se réanime dans la mémoire pour créer une éclaircie imprévue et la promesse d'une « vie embellie », il s'exclame : « Oh ! Sachons accueillir / le langage de l'autrefois dans l'âme bouleversée ! » Que ce soit abri ou abîme, coquille pleine ou creuse, le prospecteur poétique cherche à pénétrer ce temps d'au-delà du temps. Le sourcier essaie d'y rejoindre le fons originel qui aura toujours irrigué sa fin.*

C'est dans ces « lointains parages », au carrefour du temps, que le poète se lie et se délie, se fait et se défait, se prolonge et se brise. C'est là que mémoire et prophétie inventent leur danse enchantée qui n'est peut-être qu'une danse des morts. Telle, la rencontre de « la jeunesse blessée et le vieillard » : communication désespérée entre la « blessure première » d'une jeunesse qui s'ouvre et la tendresse innocemment perverse du vieillard qui la froisse, chassé-croisé de voix destinées à s'aliéner, tout en étant les mêmes, divisées entre pureté et plaie, confiance et méfiance, invitation et refus. Telle aussi la ronde des générations dans Paix à son âme, à Charmoy, *jeu curieux de qui perd gagne, se poursuivant inlassablement entre permanence et passage, solennité et divertissement, départ fatal et répétitions saisonnières. Telles enfin les liaisons fragiles et correspondances profondes qui viennent embrouiller soudain le cours du temps et faire miroiter des lueurs d'un âge révolu, débordant d'avenir, dans les yeux d'un présent maintenant presque éreinté et chargé de mort : « un enfant-dieu (qui) passait dans les yeux des grands-parents », « l'enfance dans le songe / de la femme vieille, soudain réapparue ! » Le poète lui-même ne saurait deviner combien de personnes se bousculent et communiquent entre elles dans l'étreinte d'un seul poème — celle, par exemple, on ne peut plus restreinte, de* La Chasse, *élaboré pourtant entre 1943 et 1961, où d'innombrables moi temporels se côtoient, s'interpellent et se modifient mutuellement dans les plis créateurs de ce texte si court. Détecterait-on là les mêmes mouvements, les mêmes glissements sans divisions et*

sans halte qui, dans La Sorcière de Rome, *charrient le moi
en un rien de temps de l'approche au départ, de la découverte à la perte, du désir à son épuisement, de l'ouverture
à la clôture, du premier élan au dernier vide :*

> ... l'approche hésitante des corps, la suffocation éblouie,
> les grandes lanières du désir, le lent supplice de la vie,
> les gémissements dans la maison du faubourg,
> l'allée d'ifs noirs, le cercueil en allé,
> le repas sur les cendres avec les parents,
> l'ultime fiasque vidée.

Tant de poèmes troublés, comme Trente ans après, Paris, *par les ambiguïtés du passé-dans-le-présent ou du futur
dans-le-passé (« Tu poursuis ce qui t'entraîna... ») ; tirail-
lés comme* Petite rose vers le château *entre* déjà *et* jamais
plus, *virtualités du futur qui se matérialisent trop vite,
actualités du présent qui s'évanouissent comme si elles
n'existaient pas. Tant de paradoxes semés par le temps :
finalités qui commencent, commencements qui touchent à
leur fin ; morts et absences qui seules alimentent et justi-
fient le rêve vivant :*

> Vieux pays qui déjà n'est plus assez vivant
> pour m'interdire de le rêver si tendre ;

disparitions prématurées de ce qui ne sera pas parti :

> tu ne m'auras jamais quitté,
> ô bonheur trop précoce.

*La poésie, parfois, subit des ouvertures merveilleuses :
moments de réconciliation et de répit, jamais vérifiés, où
l'on se croirait de nouveau en présence de la « source ronde ». C'est le temps selon Milena, le temps comme « un*

9

enfant qui joue », résorbant le moi dans le flux indivisible, réunissant sujet et objet, le tout et la partie, l'universel et le particulier, offrande et accueil, légèreté et gravité, fantaisie et ordre. C'est le temps comme un sourire imprévu, accueilli à Senlis : sans arrière-pensée, sans obstacle, sans malice. C'est « l'avenir ramassé dans un instant » qui s'élève, lesté des nourritures terrestres de l'enfance, dans l'odeur d'un feu d'herbes. C'est l'accalmie des vents permettant d'entendre un accord provenant des « sources délaissées », par laquelle turbulences et contradictions se baignent et s'annulent dans le « juste épanchement du temps ». C'est le temps arrondi, en paix avec lui-même, qui ne dépérit pas mais mûrit lentement, infailliblement, quand « Midi le juste » et le solstice d'été s'interpénètrent, vers sa naissance parfaite :

> L'œuf du clocher, l'horloge, est doucement épris
> de l'immobile été, le temps le couve et dort.

Moments illusoires qui se dénouent au fur et à mesure...

La poésie de Frénaud affronte la noire problématique des morts. À partir d'un seuil fatal, inconsciemment traversé et qu'on ne refranchit pas, la mort s'immisce dans la vie et étend son ambivalence : « Finie l'enfance, la mort avec la vie. » L'intimité inquiétante des morts s'insinue dans l'acte poétique, souffle vital ou écho vide, parole prophétique ou souvenir de personne, et usurpe la voix du poète, le « touchant à la gorge ». Ils l'envahissent et l'emprisonnent, ces « morts qui me retiennent dans un réduit mouvant, confondu avec eux », de sorte qu'il ne reconnaît plus qui il est ni en quel nom il parle. Là où les contours du moi se perdent, « loin dessous mon visage », ces présences enfoncées, ces absences énergiques, témoins de l'ombre énigmatique qui sous-tend et grignote la vie, resurgissent et cherchent en vain le jour à travers ses traductions *impuissantes. Vaincus et tyranniques, impondérables et pesants, silencieux et volubiles, inertes et toujours fermentant, ils nourrissent leurs relations contradictoires avec le poète qui ne sait pas lui-même s'il est « veilleur ou bien tombeau » ; et c'est toujours par la charnière du souvenir de l'enfance, propice mais fatal, qu'ils restent attachés comme des frères siamois :*

> Bien aimés mais haïs,
> les morts mais les vivants,
> pour toujours m'ont saisi
> par l'enfance néfaste.

C'est pour cela qu'il écrit, dans ses Poèmes de dessous le plancher, « haineusement mon amour, la poésie ». Engrené dans le cycle des morts, le poète souffre d'un renversement de rôles : tandis qu'eux, libérés à la chimie innocente de l'air, du soleil, de l'eau et de la terre, sont dissous et « rendus à l'eau nouvelle », c'est lui qui agonise désormais à leur place. Et comment résister, malgré le ton de bonhomie nonchalante qui la ponctue et la bariole, à la sombre méditation des Tombes vides *au Père-Lachaise ? Quelle exégèse saurait jamais rendre compte de ces « familles éteintes, mots sous la mousse », quel langage dresserait cet inventaire des disparus trop disséminé pour lequel « il faut des scribes plus que des hirondelles » ; quelle foi aurait raison de ce grand nettoyage à n'en plus finir ? Et quelle propriété, quel héritage précaire, survivraient à ces cavités et écroulements, ces « excavations démesurées », qui attendent goulûment leur nouvelle clientèle ?*

Héritier d'on ne sait quoi, le poète agonise... Il naît cependant, sans relâche, inapaisé. Il est lui-même « blessure première » portée vers quelque guérison, ou bien embryon ratatiné évoluant vers son terme qui ne serait ironiquement que le néant. Ainsi s'explique la complainte de

11

celle qui parle dans Corps perdu, *obsédée par cette mort-dans-la-vie infiniment taciturne qui gouverne tant d'avortements successifs et ne cesse de purger ce qu'elle ensemence, jusqu'à ce qu'elle occupe enfin tout l'espace, vainqueur de toutes les naissances potentielles :*

> La mort qui n'avoue jamais,
> la mort bien pleine qui me gonfle
> jusqu'ici avorta,
> bientôt aura la place.

Ainsi s'expliquent aussi ces images angoissantes qui surgissent dans le grand corps textuel de La Sorcière de Rome *— celles de « l'avorté, le manquant, grossi au flanc des âges » et du « sang apparu dans les coquilles, ce bébé mort » — et la grave interrogation sur le mystère du sang qui fait frémir toute la poésie de Frénaud en demandant vers quelle rédemption inconcevable s'achemine le flux vital sacrifié à chaque instant :*

> Dans le sang caillé des morts ou des vivants,
> qui lira les présages ?

Délié, sans patrie, mais encombré d'héritages obscurs, la figure du voyageur hante l'imagination de Frénaud. Les légendes s'élèvent, problématiques, inutiles, autour de ces pas qui s'engouffrent et se perdent pour en susciter d'autres encore, sans arrêt. À Paris, il monte et descend, revient sur ses pas, comme les maigres émigrants d'Apollinaire qui malgré la foi dans leur étoile tournent dans les limbes de ces rues sans repère. À Rome, il voudrait se retrouver parmi ces « millions de pas à la sortie des bureaux » : allées et venues innombrables, arrivées et départs, pérégrinations infinies, directions perdues. Une famille italienne, image déchue, désorientée, de la famille sainte, part comme en pèlerinage « *sur des chemins qui n'avançaient pas* ». La méditation de *Depuis toujours déjà, qui donne son titre au recueil entier, se bâtit fragilement sur la conscience récurrente de « chemins s'enfonçant jusqu'au ciel » et de « parcours qui s'égarent », ouvertures semblables au vide, voies qui ne mènent nulle part. Le prédicant au désert, glanant ses paroles là où les routes s'effacent et les mirages tendent leur piège, fait appel à quelque sauveur absent dont les « traces demeurent ». Et la jeune amazone, en dépit de ses habiletés de chasseresse suprême et de ses saisies sans pitié, reconnaît à la fin une vérité très simple : « Sans répit / la course. » Le voyageur de Frénaud ne connaît pas de demeure (ce qui explique que la route de cette poésie soit jalonnée de maisons abandonnées, éteintes, à vendre ou à louer). Il ne pourrait même pas prétendre avec les héros déracinés de Jean Cayrol que « les mots sont aussi des demeures ».

Non moins que chez Aragon, dont Le Paysan de Paris explore les « cités peuplées de sphinx méconnus » et se faufile dans ces zones d'attraction et passages mystérieux où le véritable voyageur sonde de nouveau ses propres abîmes, il y a chez Frénaud une métaphysique des lieux et toute une mythologie de la ville. Que ce soit Paris redécouvrant par échappées ses visages d'il y a trente ans, Rome où des légendes mal étouffées grouillent sous les dalles, le « silence de Genova » qui propage ses signaux étranges à travers La Sainte Face, ou les ruelles de Venise où se hasarde le Turc dépaysé, orienté par on ne sait quelle intuition d'unité, dans Il n'y a pas de paradis, la ville devient le lieu magique de l'errance. Là, les façades bougent, les carrefours s'ouvrent, le labyrinthe jette à nouveau son défi. Dans ses couches serrées, passé et présent, vie et mort se surimposent, et les rivières de la mémoire aux innombrables tributaires cherchent de nouveaux débouchés. Dans un basculement continu d'angles et de perspectives, soumis à des attirances qui repoussent et

13

des ouvertures qui se referment, le poète cherche à lire non seulement les archives des rues mais le texte profond du moi, accumulé en lui comme un dépôt actif, depuis toujours déjà. Quelle énergie vitale, promesse ou menace, révélation ou leurre, se déplace sous les arcades, derrière les colonnes, au-delà des escaliers de pierre ? L'exilé qui avance en tâtonnant, sevré de sa patrie, dans Le Turc à Venise, ne doute pas qu'un « sang profond irrigue la cité ». Et le promeneur solitaire du Silence de Genova essaie en vain de pénétrer le mystère antique mais encore à naître pressenti dans cette « ville épaisse au ventre favorable ». Le dernier poème de Depuis toujours déjà enregistre l'énorme pression d'un moment exceptionnel de l'histoire de la France, patrie refoulée sur le point de sourdre et de se réaffirmer, dans « ce sang qui va remonter entre les pavés ». La ville, pour Frénaud, c'est le lieu où l'on succombe plus fatalement qu'ailleurs aux énigmes de ce que Rimbaud appelle les « remuements dans les profondeurs ».

Un souffle souterrain soulève et dicte les rythmes de cette poésie. Une énergie primitive, à peine comprimée, ne cesse d'en menacer les structures. En entendant « épars sous le tombeau des pierres, s'enfler le souffle du taureau éclatant », le poète hésite et se questionne, titube au bord d'une autre identité. Il écoute les accords brisés d'un « vent réfractaire », inapprivoisé, inapaisable, qui court entre les monuments dérisoires de l'ordre et traverse aussi les façades du langage. Comme chez Rimbaud, remuement et rumeur ne font qu'un. Le poète est celui qui s'ouvre à ces voix multiples à l'intérieur de la voix, qui se sacrifie à tout ce que contient, et ne contient plus, l'immensité de la parole poétique. Grondements du rêve, clameurs tantôt assourdissantes tantôt muettes, murmures et mensonges, bribes éparses de l'indicible, « pollen murmuré », poussière parlée de quelque germination obscure... autant de « rumeurs de l'inacceptable... Rumeurs de l'inaccompli », autant de débats périlleux poursuivis dans l'espace du dedans avec

14

« cette étrangère voix familière » qui s'insinue pour se reti-
rer et caresse pour mieux blesser. Qui parle et qui écoute ?
« Voix violentes de l'intérieur » qui écartèlent et remettent
en question l'unité du moi, tout en en suggérant une nouvelle définition : « Ils avancent entraînés par des voix qu'ils
retrouvent », « langage étrange de ce pays dans le vent,
voix au fond de toi réveillées », « un secret retenu chuchoté
dans son langage ». Et c'est enfin dans le « parloir souterrain » qu'Actéon est déchiqueté, détruit par ses propres
paroles tournées en négation : instruments de chasse, armes du rêve, qui n'atteindront d'autre objet que lui-même
et, extravagants, n'auront d'autre ressource que de rava-
ger celui qui les a relâchés.

La poésie de Frénaud est diaprée du clair-obscur de la
quête. C'est parmi les mouvements chatoyants des éléments
que serpente « le chemin des devins », là où le mystère du
temps, « rayé de soleil et d'ombre », ouvre et referme ses
horizons et les « gemmes incertaines de l'abîme » jettent
des lueurs intermittentes. À d'autres niveaux encore s'éten-
dent « les grandes eaux sans mémoire », comme le liquide
amniotique de l'univers. « Toute créature passe / par une
eau obscure avant de naître » : c'est dans son passage à
demi inconscient de l'obscurité de ces eaux préoriginelles
vers un noir plus profond, superlatif, que l'homme essaie
de capter quelques moires, quelques miroitements, de sa
définition et de sa destinée. Le rêve, ce serait de rejoindre
la source et de rejaillir, loin des surfaces éternellement
glissantes, dans une énergie inépuisable : « Oh ! pénétrer
dans la fontaine quand elle bouillonnera, / comme autrefois
souriante. » Et l'acte poétique se poursuit, tortueux, dans
ces courants cachés, « au long de la rêverie où quelle
rumeur, émergeant du profond, promet la mer ». Mais les
sources se brouillent et se brisent. Des ribambelles de jeunes filles avancent « les pieds dans la flaque sale » ; des
soldats, désormais hors de combat, sont emportés par les

« eaux limoneuses ». Quelque part dans le dédale de Rome, « la haute fontaine vole en éclats ». Image métaphorique de la poésie, ce qui devrait transporter l'eau n'est plus intact, moyen de communication délabré qui n'émet plus que des bruits étranglés : « Une ruine d'aqueduc passe en geignant. » Et, dans une évocation répugnante, l'eau claire se trouve contaminée de lambeaux de chair pourrie, comme si commencement et fin, naissance et détérioration, revenaient au même :

> Et la source brûlante avec des chevaux morts,
> par morceaux blancs comme des nouveau-nés.

Quant à l'eau sacrée qui coulait jadis dans les nymphées, « si quelque reste en croupit, c'est pour qu'y boive / la bête monstrueuse qui naît sous les ruines ». Et le dieu ambigu aux visages innombrables qui hante l'univers de Frénaud dérive des sources les plus troubles : « Il l'a tiré de ses marais, de l'eau dangereuse où soufflent les monstres. » D'autres fois ce sont les infidélités du feu, médiateur non moins évasif, qui y projettent leur théâtre d'ombres : yeux qui charbonnent à mesure qu'ils s'illuminent, face propitiatoire qu'on ne distingue pas sur le bûcher parmi les fumées, braises de la sorcière qui brûlent en cachette pour célébrer le déclin ou l'avènement d'on ne sait quoi. Toutes ces tentatives de rencontre que sont les interventions les plus intenses de Frénaud se jouent dans une turbulence et un entremêlement des éléments. La femme de Miroir désert, à l'affût d'une unité fuyante qui ne permet que des reflets fragmentaires d'elle-même ou peut-être de personne, se demande « en quelle eau basse » elle déchirera sa langue pour en retrouver une autre, et « en quel feu boueux » elle se déperdra à défaut de connaître la véritable perte de soi. Et au moment où Diane entre au bain, moment où « l'eau ruisselait jusqu'au ciel pommelé », la révélation du désir

violateur d'Actéon bouleverse forêts, gorges et rochers et sus-
pend le paysage entier dans une vibration mystérieuse de
lumière.

La quête accepte tous les visages et n'en retient aucun.
C'est tantôt l'idéal d'un festin où, au lieu des « rapides
riens à la Cafeteria » ou « le repas sur les cendres », on
partagerait une nourriture miraculeuse à la « table prodi-
gue » ; ou bien d'une fête où des couples de bergers, symbo-
les de l'unité et de l'innocence pastorales, « surgissent de la
nuit la plus longue », zénith ou nadir du temps infiniment
propice, pour célébrer encore une fois l'antique naissance
avec musique et guirlandes illuminées. Mais l'acte d'ado-
ration et de communion manque : on se retrouve parmi les
emblèmes vides, on marmonne des formules impuissantes,
on écoute « le ricanement des cryptes », et le grand
rédempteur mythique « meurt à chaque monument qui
l'érige ». Ou c'est tantôt un rêve de rondeur qui attire :
« la source ronde », l'île, le sein, le nid, l'anneau magique
de Rugena, la sorcière enfant suprêmement candide. La
femme qui ouvre les jambes comme « un œil sur la roue du
paon » et s'offre, avoue qu'elle le fait « pour me simpli-
fier », pour enterrer enfin conflits et contradictions, pour
perdre le moi avec ses interminables divisions et multipli-
cations. Le poète aussi étend son réseau de signes comme
un filet pour séduire un illimité qui l'élude, une « immensi-
té qui se désavoue ». Il n'attrape dans ses liens que les
frémissements de ce qui se diffère à n'en plus finir,
« l'énergie récidiviste » de ce qui s'assemble et s'approche
pour se disséminer dans l'ombre. La poésie de Frénaud est
une poésie du seuil : mouvements à peine perceptibles à
l'orée de la nuit, attirances qui ne portent pas au-delà,
« pas au-delà d'une dernière oscillation »... et toujours,
comme une basse continue, « la saisie pressentie, le mur-
mure. Le seuil encore différé ». Mais c'est aussi une poésie
de l'abîme, de la cavité sans mesure, du gouffre toujours en

17

attente : que ce soit mâchoire bâillante de la louve, blessure qu'on n'étanchera pas ou ventre vide.

    Le plus souvent ce gouffre prend la forme de femme. Vénus, Terre-Mère, Vierge, sibylle... autant de visages de l'innommable, du sans figure : témoins inutiles ou mirages du rêve féminin d'au-delà des mythes. Sirène qui entraîne dans les eaux profondes de la mer, scellée pourtant dans sa solitude magnétique. La nébuleuse Caroline, dont la beauté établit un « temple léger », lieu possible d'une fête de la transsubstantiation, qui s'évanouit ensuite dans un chuchotement de rêve et de mensonge. Amazone et chasseresse, avide mais enfermée, qui paradoxalement se poursuit et se blesse et qui, blessée, nie son propre désir et implore pour résister. Et, suprême parmi les chasseresses, Diane, proie de la convoitise d'Actéon, guerrière dont la perfection du corps se transforme en flèches blanches, fragments d'une apparition destructrice tournée impitoyablement contre le voyant — qui ne sait plus s'il cherche ou s'évade, s'oriente ou s'égare, s'il se contemple dans le miroir d'une divinité ou sous le pelage d'une bête, s'il s'abandonne dans la jouissance ou se contracte d'horreur, si la force qui le déchire provient d'ailleurs ou n'émane que de lui. Le corps infini de Diane, « corps insoumis... en délire » qui déchaîne tous les désirs imprudents, insensés, illimités, s'ouvre vertigineusement sur la « fissure ancienne » pour devenir « chute béante » : manifestation énorme de cette « Grande Mère à profusion » qui épuise toutes les définitions, de cette « Mère folle » qui danse, indomptable, irréductible, dans le vide laissé par la disparition des dieux. Il y a enfin la Sorcière : Vierge noire, Terre-Mère, Mère-Mort ; esprit hérétique, hors la loi, qui fait ses tournées dans la nuit et gouverne on ne sait quelles révolutions douteuses ; immense absence génétique qui brûle, comme la poésie elle-même ; médiatrice ténébreuse, ni soi ni autre, qui provoque le poète à se délivrer de la parole en l'unissant convulsivement au « *Non médiateur* », le non-nommé, le non-fini, le non-définissable.

Les poèmes de Frénaud se tiennent au point de rencontre de tous les contraires. Ils surgissent de « l'accord guerroyant » du même et de l'autre. Janus à la double face, qui ouvre et ferme les portes, préside à leur création. Et l'énorme figure de la Mère, qui régit naissance et mort, unité et séparation, s'entrelace dans leurs structures, une et divisée, visible et invisible :

> les deux faces
> d'un seul grand corps qui s'enfle, englobe tout,
> s'évanouit,
> et qui se dresse double encore en le combat.

Depuis que « le même s'est défait en deux morceaux fuyards », aucun moyen d'échapper à l'éternelle dualité. Ce qui point à l'horizon disparaît déjà, lueur et obscurité, saisie et dessaisie, force et faiblesse. L'inimitié devient complice : ce qui se détourne attire, promesse qui se nie, négation qui se promet, oscillant entre l'éclat et l'opaque, gonflement et creux, plénitude et vide. L'esprit du poète est à la fois « chasseresse » et bête poursuivie, possesseur et possédé, consumant et consumé, brûlant comme le feu et fondant comme la neige. Il fuit ce qu'il cherche. Il est soi et autre, libéré et emprisonné par la voix proche et lointaine qui dit, « En te liant, mon amour te délivrerait », serviteur des songes de Caroline mais sachant très bien que ce ne sont que les siens, s'inventant des regards dans un miroir vide pour s'y projeter avec une foi délirante, dévoué à cet amour-absence fécondé par le désert. Et le poème, cohérent et fragmenté, concentré et épars, se tisse entre flux et reflux, mémoire et oubli, le durable et l'éphémère, immobilité et fuite, structure et écroulement, clôture et ouverture, petitesse et infini, hauteur et abîme. Là, comme un arbre,

« immense réseau de sève et de blessures », il étend ses ramifications difformes entre jour et nuit, surface et profondeur, des « hauts greniers » aux « caveaux souterrains », se nourrissant des sources les plus louches pour tâtonner aveuglément vers la lumière : poème qui, comme la vie de l'homme, est merveille et futilité, délicatesse et inhabileté fatale, fidélité et infidélité, trouvaille et égarement, et qui fleurit péniblement entre innocence et condamnation, intuitions de pureté et lourdes évocations charnelles, rêve et cauchemar, révélation et masque, vérité et fausseté, assurance et désarroi. Poème comme le poème de la mer (dirait-on aussi de la Mère ?), réunissant mille instants et l'éternité, le multiple et le simple, verbalité tumultueuse et silence sibyllin, puissance et fragilité, agitation et repos, élan et épuisement, création et destruction, l'être et le néant.

Rome, c'est le carrefour des contraires. Et la Sorcière, le foyer ardent de la dualité. À Rome se rassemblent fondement et ruine, essor et effondrement, triomphe et chute. Elle est berceau et tombeau, ville éternelle et puits de temps vertigineux, sanctuaire et piétinement profanateur, sommet et vortex, redécouverte et perte. Dans ses rues on sent, mieux qu'ailleurs, les bouleversements ironiques de l'histoire et les rapports énigmatiques de la surface et des profondeurs. Lieu de la célébration et des larmes, source nourrissante et nostalgie stérile, centre qui tournoie et se désagrège dans un destin incompréhensible qui change de signe et se dessine toujours un nouveau champ de force, cimetière sans borne et nid de vitalité grouillante, Rome est aussi une énorme métaphore du poème. Là, l'ancien s'enchevêtre au moderne et la mort avec la vie. Le grondement des mythes indestructibles s'échappe des monuments en ruine, tronçons de colonnes, piliers brisés, tours délabrées. Les mémoriaux rigides du temps, claironnant leur puissance en même temps qu'ils avouent leur impuissance, sont rongés par ce qui disparaît au-delà de toute mémoire. Et les statues croulantes des dieux hiérarchisés qui réduisaient autrefois l'univers à l'unité se tiennent, superflues, absurdes, devenues ornements gesticulants, devant ce *deus absconditus sans mesure* qui ne porte pas de nom et n'accepte pas de demeure. Dans les entrailles illimitées de Rome, la Sorcière, âme réfractaire d'un mythe sans contours et grâce hagarde, bouge entre connaissance et ignorance, le sacré et le profane, le solennel et le criard. Elle brûle dans les ténèbres de l'intérieur, tisonnant le grand mystère du féminin, unique et innombrable, constant et tourbillonnant, même et autre. Dans ses mouvements incompris de diastole et de systole, dans ses apparitions et ses éclipses, ses repos et ses spasmes, elle avale dans ses cavités et rejette toutes les métaphores empruntées par la poésie. Elle est tour à tour et simultanément concentration et dispersion, rondeur parfaite et grouillement de serpents éparpillés. Elle s'exprime dans « le défilé qui s'étrécit » et dans « la voûte ancienne », dans l'étroite fente de la nuit et dans son ventre caverneux, dans le goulot étranglé du sablier et dans l'œuf énorme du temps. Elle réanime à sa manière le mystère ambivalent de la Vierge-Mère, intacte et déchirée, pure et souillée, innocente et déchue : Vierge qui va à la rencontre de Messaline, l'Immacolata qui règne sur des serpents, corps virginal tronçonné dans des coulées de sang, vestale des cloaques dont la bouche candide et claire ne parle qu'à travers les vapeurs et fumées du vicié et de l'ambigu. Sibylle sans borne de la vérité et de l'obscurité, elle est ce « Qui ? » énigmatique et insondable, ventre ou creux, qui invite et interdit, récompense et punit, renforce et affaiblit : l'énergie effrayante de la quête éternelle qui transforme la mort en résurrection et la résurrection en mort.

Le rêve d'un langage total est le fil magique de l'œuvre de Frénaud :

21

j'ai voulu enfreindre les limites, retrouver
l'afflux de l'énergie sans voix, le chant absolu.

*Cette harmonie paradoxale, silence et chant, serait comme
la sortie du labyrinthe, justifiant et effaçant d'un seul coup
les détours et les trébuchements, les égarements et les fausses routes. Devenir « bouche unique », s'éveiller dans le
« chant total » : désirs qui sous-tendent cet appel à la Sorcière,*

Grande nourricière, si tu sais mon désir,
laisseras-tu passer paroles qui m'éclairent ?

*Mais c'est dans le vide du rêve que se répercutent toutes les
cacophonies : mort d'Actéon dans une « clameur où l'on
brame et l'on hurle », aboiements d'enfer qui font écho iro-
nique à sa voix ; bruits discordants de « l'horloge de l'enfer », complainte criarde du temps désaccordé ; « aboiements feutrés de la lune » vers lesquels les sept collines de
Rome se dressent comme les mamelles de la terre et grognent, mécontentes. À défaut d'atteindre la bouche unique,
la poésie se livre à d'autres bouches : bouches de cloaque ;
celles des chiens de chasse d'Actéon, de Cerbère (à plusieurs têtes comme Janus) ou des chiens sculptés (ou peut-
être bien vivants) qui gardent haineusement chaque porche des arcades, « les babines retroussées » ; celle surtout
de la sibylle, prodigue et avare, délirante et incompréhensible, qui laisse passer*

... par l'indistincte bouche,
dans l'aridité monotone du paroxysme,
d'intermittents grommellements,
échos des diverses profondeurs.

On retrouve partout des images de la bouche mutilée et impuissante : les lèvres déchirées invoquées par la femme de Miroir désert, les « femmes aux lèvres taries » qui côtoient stérilement dans les rues de Rome les filles aux « seins qui sourdent », Actéon et les « lambeaux de ses cris, saisis à perdre haleine » avant d'être avalés dans le gouffre. Rabâchage inutile, remuements vides des lèvres intérieures du voyageur qui « remâche dans sa rêverie les éclats d'autrefois rendus », « vertige... Verbiage », écume de paroles débagoulée par les confesseurs, démagogues, prophètes et « intercesseurs à toutes bannières », simulacres verbaux, gestes symboliques et figés de la statuaire religieuse, l'ange musclé qui se rue sur la trompette pour proclamer « baliverne de gloire » ou « bouches des anges à jamais closes », langage de pierre parodique, scellé et impénétrable : autant de symptômes contorsionnés des dieux déchus qui obstruent la gorge, autant d'expressions aberrantes qui ne sont que déviations et travestissements de la « bouche muette » qui parle pour se taire, autant de preuves, comme dirait Beckett, que « tout langage est un écart de langage » :

D'autres paroles seront machinées, se déchaînent.
De nouveaux masques, on n'y retrouvera plus rien...

Tissé de « mots qui trompent, impliqués dans un ailleurs / cependant hors d'accès », le poème de Frénaud est un lieu perfide et parfois, comme Désastre, rien qu'un moment d'éclipse. Il est lieu de menace, traversé par le flux qui mobilise un monument de langage et le démolit en un seul mouvement. Il est rongé par le « rien précaire » qui n'accepte pas de propriétaire. Il se cherche quelque part entre des blocs durcis de langage et de frêles notes évanouies. La Sorcière de Rome est une juxtaposition problématique de toutes sortes de langues : traces lisibles des

23

nuages au-dessus des collines et graves délibérations d'un
« concile de rochers » dans la lumière du soir, inscriptions
historiques gravées dans le marbre ou coulées dans le bron-
ze, graffiti et signatures anonymes gribouillés à la sauvette
dans les encoignures, sentences bafouillantes des buveurs
dans les caves, bruissements improbables des ailes d'ange
en haut des piliers sculptés, marmottement des vieilles
femmes devant les portes, rumeurs du tréfonds des âges et
voix secrètes qui s'enflent et s'éteignent. Comment les réu-
nir dans une seule sagesse ? Où trouver leur impossible
coïncidence ? Ne faudrait-il peut-être, comme dit ailleurs
le poète, que retenir son souffle et rejoindre le silence ?

Le style de Frénaud grouille de questions sans réponse,
comme des nœuds de serpents. C'est un style sans repos,
d'une beauté mouvementée et contradictoire : « La beauté
oscillait avec moi. / Chasseresse toujours vaincue, ocellée »,
dit la voix de Sans pitié, voix de la poésie. De même qu'on
passe de l'oratorio résonnant et grandiose de La Sorcière
aux airs discrets de Depuis toujours déjà, des lourds enrou-
lements et boucles aux bouffées aériennes, et des labyrin-
thes de l'errance aux saisies brèves, de même on s'avance
entre gros blocs et fragments, un frai de langage qui se
déverse abondamment et de simples cellules, phrases débordant de verbes comme un bouillonnement génétique et
phrases sans verbe presque inertes, la voix qui mâche lon-
guement ses mots en en savourant la richesse et celle qui
les crache en caillots dérisoires. Style qui palpite inégale-
ment entre lenteur et vitesse, longues séquences continues
et brisures abruptes, grands essors libérateurs et la prison
d'un seul mot, expansions et contractions, « les déploiements et les encoignures », le tempo des « millénaires
patients » et celui de « nos corps hâtifs ». Style fait de
« ruptures et retours », où l'on sent les abîmes s'ouvrir
entre les bancs de langage (« Je m'enfonce dans ses
creux »), où une syntaxe informe s'avance en tâtonnant

de degré en degré, toujours sapée par les enjambements de la dépossession, pour arriver nulle part : escalier qui n'aboutit pas. Style qui tantôt se bande comme la grande courbe d'un arc pour se projeter au loin, et tantôt reçoit les blessures de toutes les flèches ; qui s'étend magnifiquement pour embrasser la vision d'une immense patrie entrevue, et succombe ensuite aux « éclats / d'un pays qui se défait ».

Le jeu de l'italique, imprévu, capricieux, attrape et relâche, accuse et estompe, galvanise et amortit tour à tour les mouvements de ce style. L'italique, plus vacillant que le romain, plus vibrant dans l'espace, laisse pressentir une autre profondeur. S'ouvrant soudain dans le corps touffu du texte, il constitue une « éclaircie brûlante », une clairière obscure du langage d'où l'on croirait entrevoir de nouvelles structures et de nouvelles significations. C'est dans cet élargissement qu'un courant incertain « laisse venir les signes qui s'ouvrent au-dessous » et « affluer toutes figures affrontées dans la parole ». C'est là que se font entendre les voix voilées d'ailleurs et que s'entrecroisent les dialogues, jamais résolus, entre soi et autre, quelqu'un et personne, songe et mensonge, désir et refus, illimitation et limite, temps suspendu et temps dégringolant à une vitesse frénétique, construction et débris. Dans ces mots en italique et leurs débats typographiques, on devine toute l'énergie de l'initiation et de la terminaison : langage du seuil où l'écho des questions du poète se perd dans les limbes d'une interrogation anonyme.

La poésie d'André Frénaud, fidèle à elle-même et contradictoire, est d'une architecture puissante mais toujours menacée : immense, fortement articulée, d'une musculature robuste et noueuse, mais troublée par des grignotements suspects et sujette à toutes sortes d'érosions. Prenant son essor sur l'énergie des contraires qu'elle dépasse par son mouvement même, se surmontant dans une invention formelle à jamais renouvelée dans sa poursuite de l'unité entr'aperçue, elle porte néanmoins à l'intérieur, comme un reflet possible, d'innombrables images de structures croulantes et brisées : marbres tombés en poudre au Père-Lachaise qui font dire : « Et les temples cérémonieux deviendront tous / croulantes pierres, chutes de pierre, / excavations démesurées » ; ruines d'un cirque et tours délabrées à Rome, rappels poignants que l'âge n'est plus des unités parfaites ni d'une poésie vouée à sa « chanson de la plus haute tour » ; hauts piliers où le faix porté par un âne « s'accroche à la colonne et tombe », croisement momentané de montée et de descente, de jaillissement vertical et de chute, de construction massive et de précarité ; palais autrefois superbes traversés de remuements de bêtes, larves de dessous le plancher ; statues de lions dont « la patte gélive mordue par trop d'hivers / s'effrite et le blason chancelle », résistance de la pierre fendue par l'âpreté du temps, majesté symbolique faite pour durer sombrant dans la décomposition ; fortifications ébréchées qui ne protègent plus guère le moi, « nous, derrière les remparts, mal assurés » ; maisons bâties entre la terre solide et le vertige de l'air, entre sécurité et crainte, « avec le grenier qui inquiète et la cour pour rassurer » ; murs d'enceinte qui, au lieu d'enfermer, miment les faiblesses et les anxiétés du moi en en épousant les contours friables et les structures fragmentaires : « Un parti de murs a pris ta forme en toi, / qui s'éboule et t'enferme. » C'est ainsi qu'à l'ombre de l'énorme sanctuaire de La Sorcière de Rome, élevé majestueusement sur les grands piliers de ses quinze mouvements par un travail de construction et d'élaboration complexe et ardu, s'esquisse plus fragilement le « temple léger », le temple de Caroline « comme un nuage d'oiseaux » : structure paradoxale de durabilité et de fuite, d'équilibre serein et de palpitations insatisfaites, de cohésion et d'éparpillement, de centre et d'absence. Et la voix qui frémit à la fin de

Dans ta forteresse *ne promet son intercession qu'à condition d'obscurcissement et de dissolution :*

> — Si je viens jusqu'à vous, j'entrerai
> avec les nuages dans votre forteresse,

laissant ainsi le poème balancé une fois de plus entre solidité et vide, forme et informe, construction et déconstruction, appui et effondrement. La question qui initie la quête du Chemin des devins *se formule quelque part entre immobilité et mouvement, l'immuable et l'éphémère, la fixité massive des rocs et l'émergence hésitante d'une grâce impalpable et passagère :*

> Feuilletage de géantes pierres pour qu'en sorte
> au soir un papillon, serait-ce le secret ?

De même, on pourrait se demander où se trouvent véritablement les morts des tombes vides au Père-Lachaise : dans la rigueur de ces stèles et inscriptions ciselées ou dans « un grand ciel venteux, par l'air bleu parsemé d'hirondelles et de feuilles » ? On se rappelle aussi que la colline qu'on bâtit après le festin romain, surmontée de la statue du saint patron, n'est composée que des vaisselles brisées de la veille : fragments épars d'une fête perdue, petit monument sacré de la désagrégation. Partout jaillissent des images de la faille qui s'ouvre dans la densité de la pierre et de l'incompréhensible qui s'en dégage, irrépressible, sans borne. À Rome ce sont, « dans notre citadelle, des fumées / qui se glissent à travers les dalles, s'éloignent » ou « dans le tombeau tremblant, la source », ruissellement inconnu qui anime et défie l'impénétrabilité de la pierre, ou bien le mystère d'un sang innocent qui circule, intact, entre des masses inertes de rochers, « une enfant pâle et qui saigne / entre les blocs renversés ». Parmi le spectacle des hauts frontons et colonnes de la ville éternelle se montrent aussi « grottes fendues et fissure ouvragée » ; et, représentation symbolique du mythe obscur de l'origine, « la louve tarpéienne bâille entre les rochers ». L'énergie d'une vertu indéfinissable, enfouie sous les pavés de Paris et prête à remonter, fait tressaillir l'ossature de La Commune de Paris, dernier poème de Depuis toujours déjà. Et dans les Paroles du poème, c'est la dichotomie entre l'immensité de l'édifice rêvé et l'étroitesse de la fissure par où filtre la parole poétique qui constitue la force motrice du texte :

> Si mince l'anfractuosité d'où sortait la voix,
> si exténuant l'édifice entrevu

— anfractuosité qui, libérant ce qui était resserré et étranglant ce qui semblait illimité, laisse s'exprimer la « voix fêlée » d'André Frénaud. C'est le défaut, la faille, la déchirure qui permet la médiation d'une « grâce hagarde » et qui, interdisant toute structure définitive et toute permanence, fait que cette poésie, au cœur même de ses résolutions et de ses synthèses, soit une œuvre ouverte et lacunaire, habitée et nourrie par le « Rien fauteur ». Comme dit le prédicant au désert : « Dans les trous des rochers / nous trouverons pâture. »

La voix de Frénaud réveille d'innombrables résonances dans le grand ventre de la poésie... vers quelle naissance éventuelle ? On entend au loin les grondements sépulcraux de Hugo, celui qui, glissant fatalement sur la « pente de la rêverie », fouille sous la surface de l'imagination poétique pour affronter les « sépulcres ruinés des temps évanouis, (villes) pleines d'entassements, de tours, de pyramides » et pour sonder les profondeurs afin de savoir si le lit est « de roche ou de fange » ; ou celui de Je suis fait d'ombre et de marbre, mélange de la dureté de la pierre et de l'immatériel, qui assume le rôle d'« escalier Ténèbres » entre le tombeau et la vie, entre les vestiges muets du passé et la rumeur de la prophétie, et se prête dans l'obscurité à tous les échanges. On sent également la gravitation puissante de Baudelaire : le poète qui interroge mieux que tout autre l'abîme du mythe féminin, concrétisé dans sa « bizarre déité brune comme les nuits » ou dans cette géante monstrueuse et ambivalente dont les yeux couvent une sombre flamme ; le poète des polarités, soumis à toutes les variantes de l'attraction et de la répulsion, tiré entre perte de soi et possession de soi, entre « vaporisation... et centralisation du Moi » ; le poète qui voit son âme aussi comme une « cloche fêlée » et écoute toutes les fausses notes, les « voix criardes », qui s'introduisent dans la voix poétique et la contaminent. Et comment ne pas penser, en lisant ces mots du Lieu commun des morts

> Et c'est moi qui agonise désormais.
> Cercueil aux clés perdues, les tiroirs qui s'enfièvrent,

aux accents lugubres de Spleen :

> J'ai plus de souvenirs que si j'avais mille ans.
> Un gros meuble à tiroirs encombré de bilans...
> Cache moins de secrets que mon triste cerveau.
> C'est une pyramide, un immense caveau,
> Qui contient plus de morts que la fosse commune.
> — Je suis un cimetière abhorré de la lune.

Plus obsédantes encore sont les décharges énergétiques de Rimbaud : la lutte avec la déesse dans Aube où l'on ne sait plus, dans cette atmosphère de mirage, si elle est « bête poursuivie » ou « chasseresse exultante », ou celle de Métropolitain, engagée parmi le jeu des éléments, qui contracte tout le drame de la force et de la faiblesse poétiques en ce moment unique, ce « matin où avec Elle, vous

29

vous débattîtes parmi les éclats de neige, ces lèvres vertes, les glaces, les drapeaux noirs et les rayons bleus, et les parfums pourpres du soleil des pôles, — ta force » ; la naissance frissonnante de cet Être de Beauté, spectral et charnel, vivifiant et dévastateur, qui se dresse dans un éclatement de blessures écarlates et noires dans Being beauteous, suscitant le rêve de revêtir avec elle « un nouveau corps amoureux » ; la présence brûlante de la « Sorcière qui allume sa braise dans le pot de terre », parmi des piaulements lunaires et des écoulements de lait et de sang, dans Après le déluge, mais dont les lèvres restent scellées sur le secret des saisons et de la résurrection ; les fiançailles mouvementées et fragiles de Lui et Elle dans Mémoire, poursuivies en vain à travers les miroitements trompeurs de l'eau, tantôt claire, tantôt boueuse ; la rencontre imprévue et miraculeuse avec le Génie de Conte, passage de la visitation qui n'est qu'une autre expression du « Non médiateur » (« ... d'une beauté ineffable, inavouable même ... d'un bonheur indicible, insupportable même »), après laquelle on retombe inévitablement dans les cycles du temps ; l'élan enthousiaste de la fête fabuleuse qui renouvelle toutes les légendes et réconcilie tous les contraires dans les rues transfigurées de Villes ; les alternances dynamiques du feu et de la glace, de la réalité et de l'illusion, qui créent des remous rythmiques dans la texture de Barbare ; les bouffées nostalgiques de l'enfance qui se dégagent à maintes reprises, comme une innocence ressuscitée mais hors d'atteinte, d'un monde difforme, angoissé et chaotique ; la traversée interminable du désert, telle qu'elle est décrite dans Matin, « sans que s'émeuvent les Rois de la vie, les trois mages » et sans qu'on célèbre jamais pour de vrai « Noël sur la terre » ; le destin nomade des Bergers qui, dans Fêtes de la patience, « meurent a peu près par le monde » ; l'idéal d'une harmonie violente, sans repos, la seule admissible : celle par exemple de Parade, « le plus *violent Paradis de la grimace enragée »*, ou de Génie, *« le brisement de la grâce croisée de violence nouvelle »... et ainsi de suite. Les remuements se prolongent bien au-delà de Rimbaud. Chez Mallarmé on retrouve la hantise d'un langage paradoxal et impossible, cette « voix étrangère au bosquet / Ou par nul écho suivi » par rapport à laquelle le poète n'est qu'un « hagard musicien », écartelé entre « furie et silence », et sa poésie un instrument douteux à l'extrême bord du « creux néant musicien ». Et la quête d'Actéon montre plus d'une ressemblance avec celle du Faune, lui aussi chasseur d'un rêve de nymphes qui se dissipe dans les divisions du doute, lui aussi leurré par des « confusions fausses entre elles-mêmes et notre chant crédule », lui aussi condamné à dialoguer avec cette rumeur intérieure qui n'a pour appui que le « Rien qui est la vérité ». Des carrefours de l'œuvre d'Apollinaire surgissent ces émigrants et voyageurs égarés qui parcourent le labyrinthe de la ville moderne, âmes fragmentées à la recherche d'une identité, pris dans le kaléidoscope du temps et de l'espace et essayant de renouer passé, présent et avenir ; ces morts qui reviennent du cimetière pour s'entremêler aux vivants ; et ces figures ténébreuses qui brûlent sur le bûcher en sacrifice à quelque renouveau saisonnier toujours différé. Chez Supervielle, dont les Gravitations portent l'épigraphe « Lorsque nous serons morts nous parlerons de vie », on effleure toutes sortes de personnages, pris de vertige et rongés de vide, qui explorent le mystère des origines : celui de Haute mer qui, s'aventurant dans les eaux profondes, « cherche la chanson / Où s'était formée son jeune âge ». Henri Michaux, le fouilleur infatigable des mouvements inexpliqués de « l'espace du dedans », qui déterre les formes larvaires et cauchemardesques de son « lobe à monstres » et déverse sur le papier tous les visages flous et agités d'un moi instable, ne se tient pas loin dans les coulisses : ce Michaux, toujours aux prises avec les*

« masques du vide », qui écrit « Je suis né troué » et « Je me suis bâti sur une colonne absente ». Et parmi les poètes de la génération qui suit déjà Frénaud, qui ne citerait-on pas : Yves Bonnefoy et sa poétique du seuil, ouverte aux tensions de l'absence et aux ravages miraculeux de cette « voix néante à travers la mienne » ; André du Bouchet, dont la poésie, si près de la rupture et du vide, pénètre comme le tranchant d'une faux dans les failles et les interstices de la terre et de l'air ; ou même Philippe Jaccottet, dont les captures aériennes de ce qui restera insaisissable ne sont que des instants d'équilibre invérifiable d'aucun poids contre l'évidence de la mort ?

Tant d'échos divers, tant de réverbérations... et pourtant une seule voix. Proche et lointaine, dense et éparse, unie et fêlée, unique et innombrable, même et autre : la voix, irremplaçable, d'André Frénaud.

Peter Broome

La Sorcière de Rome

Amne perenne latens, Anna Perenna vocor

Ovide, *Fastes.*

Ne ricanent pas les colombes, et le tigre ne lèche.

Qui l'a dit ?
Laisse venir les signes qui s'ouvront au-dessous.
Laisse affluer
toutes figures affrontées dans la parole.

La vieille entendra-t-elle ces voix secrètes ?
Les conduits se répercutaient le bruit profond.
Qui gémit ? Qui conspire ? Qui retient les torrents ?
Des bêtes affamées sont dans les ruelles,
rongent les auges ténébreuses.

Nous, derrière les remparts, mal assurés,
sur les escaliers dressés par la hauteur,
pour regarder le monde étalé sur l'autre pente,
notre pouvoir au soleil chaleureux, pour nous réjouir
d'une cité apparue dans ses feuillages.

— Des jeunes gens sourient là-bas, ils s'embrassent.
Un petit âne monte les marches, le faix
s'accroche à la colonne et tombe.

— Pourquoi surgissent, dans notre citadelle, des fumées
qui se glissent à travers les dalles, s'éloignent ?
Le ciel est clair et les dômes, de proche en proche,
tiennent en ordre les quartiers.
Les déesses marchent, assurées, dans le jardin précieux.

Des fontaines jouent. Entrepôts qui regorgent. Partout
l'abondance à tout pourrir et des rats.

Depuis toujours la gloire et, plus l'on creuse, la gloire,
égarée dans ses éboulis.
Et plus l'on monte, plus l'on se hausse
pour s'égaler et pour confondre.
Et tout haut fait est, à mesure, commémoré.
Et la Croix, encore un coup, irradiera au faîte.
Les demeures se rengorgent de voûte en voûte
et de colline à colline. Les plafonds
se sont couverts de mouvements de majesté.
Les miroirs, en abîme, assujettissent la splendeur.

Assez de tes éloges sur les arcs triomphaux,
DUX, PONTIFEX IMPERATOR.
Assez de marches pour vous hausser, assez
d'inscriptions déchiffrables.
De la ruine d'un four à pain s'extirpant, le grillon
module de sa voix maigre, de père en fils,
le même cri anonyme.
Et le grand tout, depuis toujours son mouvement
nous emporte au-delà des gestes mémorables —
à travers le cortège immobile des marbres,
impatients dans la rumeur.

Serait-ce l'addition ultime, la somme,
le sommet gagné décidément, l'insaisissable
couronne irradiant, l'hymne avec la bénédiction ?

— Tant de fois brûlées, les archives
retrouvées plus antiques sont là terribles,
leur fumée pèse... Un soleil de marbre nous éblouit.

ENFOUIE DANS LE FLEUVE DEPUIS TOUJOURS EN
                                    [MARCHE,
ENFIN LA GRANDE, L'INNOMBRABLE, SE RASSEMBLE
ET SE CHERCHE UN VISAGE, SE FORME
PAROLE PAR LE GRONDEMENT, SOUDAIN M'INONDE,
M'ILLUMINA,
              QUAND DESSAISI,
JE LA RECONNUS DANS MA VOIX
                      TOUTE PRÉSENCE,
UN SEUL AVEC ELLE, ÉVANOUI.

Je renaissais. Suis séparé, ... j'essaie d'entendre.

... Non tu n'es pas, Rome,
pénétration de l'abîme et soleil qui monte,
l'aigle éternel dans sa gravitation,
ni l'épreuve et la preuve
d'un avènement promis décisif,
mais rien qu'un regard sur le triomphal avec
une suite à découvrir et recouvrer,
une voix sans fin éperdue, qui sait,
qui ne sait pas, qu'on interroge.

Que trouvions-nous marqué, que nous sachions lire ?
Que se trouve-t-il masqué, que nous ne saurons dire ?
Qui se terre, qui doit se taire ?

... Qui n'oublierait cette voix dans la rue enjouée,
si le soleil du matin flâne par la ville ?
Allegria.

Pied de marbre géant, conservé sans nul corps
en statue pour nous divertir, tortue
porteuse du monde, éléphant sous sa colonne,
petit enfant joueur... Et terrasse tendre,
avec le géranium embaumant
l'antique tombeau élogieux,
la lente fontaine qui s'élève, le murmure
de vasque en vasque entre les escaliers,
entre les statues qu'on voit au bout du ciel,
une tourterelle et un *fiasco* sur la marche.

Qui a voulu
des fragments de colline et la beauté des portes
en ce palais ? Qui a voulu
les nuits exposées aux bêtes en ce palais ?
Je me souviens : un abîme sur le bord de la route,
près du figuier. Puis il y eut
foisonnement d'animaux qui s'empoignent,

de longs corps blancs dans la boue, le dos qui étincelle,
une chevelure... Serait-ce là ? J'ai tant rêvé.

... Il faut bâtir des palais pour occuper les pauvres.
Pour les divertir d'eux et nous en protéger.
La blancheur des vestales brûle aux petits couvents.
Les esclaves châtrés sur le parvis
de la Fortune Virile. Tel est l'Ordre.
Ne bâille pas. Nous irons jouir
dans les temples comme dans les égouts.

... Caresses d'or, poses toutes plus belles
pour capter l'autre ou plaire à soi.
Tumultes sans savoir et grands gestes pour taire.
Figures affrontées qui savez vous ouvrir
au plaisir et passez. Face éclatante, obscure.
Parades sans avoir, les cœurs parés.

Les corps traversés, la mêlée, l'extase,
l'innombrable éclair saisi dans la traînée des cris.
Puis le dénuement tout à coup, l'opaque.

Grande nourricière, si tu sais mon désir,
laisseras-tu passer paroles qui m'éclairent ?

Qui se cache ?
              Mais qui parle ?
Qui s'accroît, qui s'inscrit par la nuit pour surgir
des entrepôts du ventre ?
Qui s'investit ? Qui procède au recouvrement ?

L'antique noyée qui s'éveille au printemps,
avide et se donne, la riche veuve
qui rend ses greniers aux mains de l'insatisfait,
une autre, plus pâle, dans une grotte avec des prêtres,
pour l'aider à se délivrer de sa parole,
et c'est toujours la même qui s'échappe
de la coulée inlassable noire,
comme du lait gicle de la Nuit,
gardant nostalgie d'une torpeur initiale
qui se retrouve menace devant soi.

Toute créature passe
par une eau obscure avant de naître.
Sortie de là, tous les pas qu'elle fait
la rapprochent du plus noir... Les mêmes,
elle voudrait qu'ils la détournent,

à défaut de l'éloigner, l'en distraient.
La tendresse un instant crée l'infini,
Les serpents du délire, leur explosion cruelle
force l'ouverture, et le temps s'abîma.
S'échapper... Être épris... Mais nous sommes là tous,
besognant le parcours.

Tu hurlais, allant à ton supplice, grande vestale,
qui tentas de trouver objet d'amour ici,
à l'encontre d'un vœu qu'on te fit prononcer
pour établir notre sauvegarde,
et fus pour ce péché enterrée vive.
Le rappel bien trouvé de notre sort bouffon :
sortis d'une tombe pour y retomber !

... La mort ne se tait pas dans cette voix haineuse,
où elle n'est pas seule à rêver et maudire.
Si la vie est recours contre son terme, la mort l'est
contre une orée qui bruit, qui chatoie, vaine à mesure.

Tu ne demeures pas précipitée dans ce trou,
sibylle consultante,
si le temps, si l'espace, ton grand corps les déborde,
répandu hors d'accès,
laissant passer par l'indistincte bouche,
dans l'aridité monotone du paroxysme,
d'intermittents grommellements,
échos des diverses profondeurs.

Tu cries ce qui te vient, tu ignorais le savoir,
prophétesse, aussitôt tu le perds.

Tu le répètes, qui surgis... Tu l'oublies. Tu
n'oublies pas.

Rumeurs de l'inacceptable ... Rumeurs
de l'inaccompli.
Femme géante vierge et porteuse de lait.
Réfractaire. Inentendue.

Celui qui ouvre et qui ferme les portes
aux désirs furieux, dénie, attise, Janus,
le monstre honnête à porter double face,
a-t-il aussi destin de présider
au transport accompli de l'une à l'autre aurore ?

— On dit qu'aucune forme n'a été prescrite
pour le sacrifice, que nul ne sait
quelles offrandes seront reçues, qu'il suffirait
que tous aillent en quête, que la récrimination
cessât, que le défi, la rage,
se changent en élan, invocation, confiance.
— Il ne s'agit que de donner tout et d'être prêt.
— Il ne faudrait que retenir son souffle.

... Qui a prononcé l'événement ? Si nul
n'a parlé, chacun dans son cœur a entendu
quand il a lu les signes... La jeune fille
a vu l'ange, aussitôt elle a su
que le poids incertain de l'an qui va finir,
l'avorté, le manquant, grossi au flanc des âges,
tout allait s'accomplir et se confondre en joie.

47

— Tout le poids dans son ventre, l'innocente a dit oui.

— La fille de l'homme...

— Ô pieuse vierge, délice des roseaux !

— La mère de l'homme...

Le sang des témoins approuvait les témoins.
Sur l'étagement pétré des nuages quelqu'un monte,
c'est Dieu même, il se tourne vers nous, il confirme :
Souris à ta mère, mon enfant radieux...

— Se voyaient-ils,
quand ils se regardaient au profond des yeux,
le grand garçon et la jeune femme ?

Quand deux envols d'oiseaux de part en part
se sont mêlés,
s'enfonce l'azur, indéfiniment s'exalte
l'empire de la mer.

... Est-ce lui le premier qui a rougi
devant une forme qui changeait, se chargeait,
l'énorme corps dressé... aussitôt s'affaissa.

L'année s'assombrit encore, qui touche au terme.
Dans le défilé qui s'étrécit, quelle soudaine

avidité de retourner jusqu'en la voûte ancienne.
... La nuit trop pleine a crevé son sac,
et s'éparpillent les serpents des deniers jours.
Tout se réduit, se consterne. Comment
conjurer, ralentir si le malheur
devait se retrouver ?
Fatale est l'année et descend encore... Espoir ?

Quand se retourne le sablier,
par l'étroite fente de la nuit la plus longue,
un nouvel an naïf déjà remue un œil...
À pas de plus en plus larges, le jeune soleil
a entamé sa route — c'est la même.
Et la redoutable ramène ses cuisses géantes.
Elle a pris une autre dégaine : de vieille,
le visage éclairé d'un sourire très doux.

Ils sont en famille, ils vont en bande. Faisaient la fête.
Par un grand matin partis, avec un ours et un âne,
sur des chemins qui n'avançaient pas,
ils les ont laissés avec l'encens, la myrrhe...
Les motocyclettes bronchent et pétaradent.
Illuminés aux milles flammes des lieux saints,
ils descendent le grand escalier. Attendus
par le souvenir d'un enfant, est-ce qu'ils l'adorent ?

Remuent-ils des lèvres pour expliquer ou comprendre
les gestes des statues entre les baraques foraines ?
C'est la nuit et le grand jour, et soleil la neige.
Dans la rue qui regorge, les emblèmes dressés.
Par le tumulte des pas, les girandoles,
un silence intimidé se glisse.
Au plus noir du minuit, n'en finit pas
la montée étincelante, l'œuf.

Il y a les trois églises, les larges draperies rouges.
Le berceau, la table chatoient.
Ruelles qui tournent, rangées muettes, parois lourdes.
Les cloches sans répit. Des glissements d'eau vive.

Il y avait des grottes, des colonnes, la barrière.
Et la source brûlante avec des chevaux morts,
par morceaux blancs comme des nouveau-nés
jetés dans l'eau entre les buis, des touffes de crinière.

Oh ! pénétrer dans la fontaine quand elle bouillonnera,
comme autrefois souriante,
pour en sortir avec le manteau du vainqueur...
Ils ont attendu cette nuit en tremblant, tous se précipitent
Mais oseront-ils ?

On avait dit aussi qu'il faut prendre garde
à ne pas fixer le regard des loups
qui déambulent par la foule, ces jours-là,
ou qui se tiennent dans les maisons pavoisées
tout alentour de la place ronde,
immobiles à certaines fenêtres et penchés,
habillés pareil aux autres. Un rien
d'un peu triangulaire dans le visage
ne suffit pas à les dénoncer.
L'un ou l'autre peut s'y tromper, qui ne se trompe
cette nuit là,
si la fête bat son plein sous déguisement ?

Oh ! pénétrer dans la fontaine quand elle bouillonnera
comme autrefois souriante,
pour en sortir avec le manteau du vainqueur...
— Elle attendra cette nuit en tremblant
toute la vie, mais oseront-ils ?

— Et la vieille a fini sa tournée dans la nuit.
Son profil variable s'est doré pour chacun
tout un instant sur le seuil obscur
quand elle procédait, maison après maison,
à la distribution des friandises...
Déjà lointaine l'aurore, quand les enfants
découvrent qu'ils attendaient la vraie source de joie.
Et les éboueurs, sur les dents, ramassent
les vaisselles jetées — brisées pendant le festin.
Chaque année ils en font une nouvelle colline
avec au sommet statue de leur saint patron.
Et les Sept, les antiques et très glorieuses,
par les aboiements feutrés de la lune
grognent et se redressent
comme les tétines d'une louve ou d'une truie.

Déjà s'affermissait dans l'affrontement
l'éclat puissant et noir. La peur
s'enfonçant dans la nuit pour composer
des représentations aventureuses,
hachurait les années enfantines.

Qui sait prévenir et subvenir ? Qui interdit ?
Qui ordonne et châtie ? Qui distribue les charges ?
Qui donnera le pouvoir — qui atermoie ?

Je me soulèverai à l'extrême d'un désir
dont j'ignore l'effigie. De degré en degré,
appliqué à tout ordonner, je gravis, j'accède.

Exposé sur le fleuve aurait été moins sombre,
m'éloignant de la rive...

J'avancerai à la rencontre de tous ennemis,
sous la cuirasse où se dérobe l'offense.
On ne saurait s'égarer à défendre la patrie.

Je prends appui à la terre, je m'agrippe à mes pas.
De la légion de bêtes qui gonflent ma poitrine,
je me formerai troupe en ordre. Je me conformerai
à la Loi, je me confirmerai à la servir. J'obéis,
à mon tour j'exerce le commandement.

... Les premières alarmes dans les taillis querelleurs,
le culte des dieux lares et le respect filial,
la lecture des entrailles et l'envol
du côté favorable, les souillures
et les sacrifices, l'initiation, les quolibets,
les dissensions vaincues, le dévoilement
du projet des conjurés, les nouveaux troubles
et la riposte aux confins, l'établissement
de remparts avancés et la réduction à l'unité.

Et la grande courbure de l'univers,
reprise en gloire au pourtour du Colosseo,
les clameurs qui proclament, en cercles s'immensifiant,
totalité conquise... Et regarde, tout est vide.
Une enfant pâle et qui saigne
entre les blocs renversés, le serpent
parmi les touffes du laurier sauvage.
Et les hanches sans respect d'une femme ébauchée,
énorme, étendue...

De nouveau les palais qui s'entassent, les arcs dressés.
Des aqueducs intègres par la campagne
et les entrées solennelles de l'eau dans la ville.
La foule sur les escaliers, qui s'acclamait.

... Hauts frontons, colonnes, colonnades, trophées,
grottes fendues et fissure ouvragée,
bouche tendue, pierre tranchée, entablement,
globe affronté, verge embrasée, brandissement.
Muscles roulant, rangées meurtries, corps exhaussés !
Labyrinthe enfoncé, largesses par les rues.
Déferlement de cloches, les eaux à la volée !

— *Ma !* Trop d'orgueil.

Titan fragile, géant ornementé,
foudre, torrent, massue, musculature vaine,
travestis de la gloire, déesses inventées,
sur les trop hautes marches, Hercule faux miroir,
solitude fardée, redoublements vantards,
phrases et emphase du marbre en marche,
étalement de mille silhouettes et trompettes,
à la fin tagliatelle gesticulant !

Le suprême Jupiter, le Redentore,
qui nous a donné la Loi avec le salut,
meurt-il à chaque monument qui l'érige ?
Ou bien s'il dort, s'il est emporté par la foule,
engourdi dans leurs cœurs

              [sans qu'ils y prennent garde,
pour se réveiller à minuit dans chaque maison,
dans son petit nid originel, vipérin,
très chaud et très bon, ici et partout au monde ?

— Nous demeurons dans nos maisons,

              [dans nos familles,
Nous récitons nos prières au pied du lit.
Nous honorons nos lares. À écouter nos cœurs,
nous n'y entendons pas malice. Nos enfants
nous ressemblent et c'est un grand plaisir.
C'est notre dévotion la plus tendre,
Gesú Bambino, Madonna Mamma, Papà.

Le pape est sous son dôme, et sa calotte blanche.
Tiare à la main, le pied traînant, pleure avec tous.
Ses acolytes régneront-ils ? Bouches des anges
à jamais closes, leur pouvoir se fait petit.

Si la lumière, au soir tombant, se laisse choir
par habitude, en anciens lambeaux d'or,
l'encens s'évanouit des lieux saints aujourd'hui,
comme s'est dissipée plus avant
l'odeur épaisse des bêtes sacrifiées.
Les pas des âges effacent
les traits des seigneurs sur les dalles funéraires.

— Vieil homme qui se tient en retrait,
il s'étonne de sourire avec majesté.
Les fils ont pour lui de la compassion.

— Le corps divin a fondu sans y mettre jouissance
aujourd'hui. Ne lui avais-tu pas donné ton sein,
Grande Mère de l'agonie de Dieu ?

— Corps en péril, je touche
le corps du saint avec amour. J'entre à ta main
dans le verger. Je t'institue
ma protectrice, vierge, par droit d'amour.

... Nous allons en cortège, nous entonnons ensemble
l'alleluia à la source de vie.
Nous avançons chez nous dans la maison du père,
y goûtons le pain délicieux.
Dans les voix qui se répondent, se retrouvent,
nous reconnaissons la voix perdue,
nous recouvrons notre parole.

— Gémissez, multitude amère de Rome.

Filles, emportant à vos seins qui sourdent
l'innombrable innocent.
Gémissez, femmes aux lèvres taries,
car le vrai père ne se cache pas non plus
dans l'hostie resplendissante.
Et la vierge, sur le pavement oublié,
frissonne en vain
entre les bras dressés du Gesú.

Ô Michelangelo da Caravaggio,
trattoria pourpre des nourritures,
où les anges sont des nôtres, les chevaux attentifs,
étends les bras pour prendre, abreuve-nous ici,
sur la croix entrouverte de genoux qui s'écartent
et d'un corps qui se hausse !

La croix se formera de deux bouleaux tremblants,
se touchent en leur milieu, les limites en flammes,
une félicité terrible les emporte.

... Lentes rangées, coquille ourlée, rumeur veinée,
sourde fontaine fauve, minotaure qui va,
et le vaisseau des larmes, la chasseresse en armes,
dépassés poursuivant, l'un par l'autre aboli,
naissance, à l'infini, mille mêlées du feu.

Le même s'est défait en deux morceaux fuyards,

innombrables remous depuis toujours en quête.

Et la Vierge, rencontrant Messaline,
la vulve insomnieuse,
la baisa sur le front et la bénit.
Et il se fit des désordres dans les parages,
et d'autres dieux, à pas de loup se sont glissés
sous les tables des Lois et dans les gorges, puis
ils ont chu.
Car nul ne règne. Pas la joie,
Ni l'innocence, ni le plaisir, ni la vertu.
Sous un autre visage le héros recommence,
naïf, ses hauts faits. Il tombe.

En vain les blessés multiplient les offrandes,
les confesseurs et les démagogues,
intercesseurs à toutes bannières,
prononcent la parole, et le peuple acquiesce.
En vain ils affluent, ils saluent, ils écument,
déferlent en vivat,
ils forment en rond l'ardent simulacre.
Pêle-mêle on emporte, sang dans la sciure,
le corps virginal tronçonné,
les lions vaincus par le miracle.
Nul cérémonial, fût-ce avec trépignements,
couronne ou serpents d'or, immolation,
ne saura combler
la même impatience par tout l'être dispersé.

Et les voiles des vierges et les attributs des saints,
en plein marbre fauve, se soulèvent et se dressent
pour le millénaire témoignage.
L'ange musclé se rue sur la trompette et proclame
baliverne de gloire.
L'Immacolata règne sur les serpents.

Aux grands hommes, si la patrie reconnaît
statue géante, c'est plus tard,
et la pierre veinée n'accorde nul bonheur sanguin.
Au rythme des jeunes cœurs, tâtonnante,
la renommée prendra sa voix
quand le défunt aura donné
au myrthe noir son éclat pâle.

— Et une fois déjà son souvenir
avait rendu espoir au peuple... Et s'il a causé
du trouble dans un cœur, tel autre découvrira
fierté à cause de lui. Toutes sortes de larmes.
Désir de surpasser, sacrifices, vertige... Verbiage !
Amour de soi, oubli du mort, les honneurs déplorables.
Et toute cette barbe en marbre, bien ourlée,
ne pousse pas sur ses joues plus qu'aux statues des
[dieux !

Tombeaux parés, les berceaux trop confiants.
Pourquoi les disposer, les accès précieux ?
Qui poursuit sa vie là, qui peut y découvrir
l'Amour ici-bas pressenti ?

Ni le blé qui sait renaître, ni le grand arbre
que les entrailles de la Terre-Mère font reverdir,
ni le sang du taureau, ni la semence du martyr,
nulle promesse, pour nous, ne sera tenue.

— Seulement une fois...
Un enfant précautionneux dans le malheur,
le même qui criait dans la chambre du haut,
sorti des lourdes paumes de la géante,
et jusqu'au moment d'être repris au magma,
qui va portant son vieux cartable,
et qui tressaute si lui revient
cette étrangère voix familière.

Oh ! Dans le tombeau tremblant, la source.
La seule félicité de la vie, frères !
Si elle te ravit sur tes chemins, t'inonde,
tu ne sauras te reconnaître plus qu'un instant
dans les grandes eaux sans mémoire.
Ne l'attends pas, cette grâce hagarde...
L'ancienne. Le retour à la patrie désirable.
Où t'entraînerait-elle, cette bouche muette ?
Pas à pas, sans répit, ta vie s'enfonce.
Elle se ravale dans le même battement,
l'énergie récidiviste... Pas au-delà,
pas au-delà d'une dernière oscillation.

— Nous passons dans les rues, nous allons notre vie
dans l'animation des mouvements au soleil.
On est à son affaire, on y croit presque,
certains jours, s'il fait beau.

61

... Au-dessous, ce n'est pas la mort déjà,
plutôt des caravansérails très actifs,
qu'organisent dans leur angoisse et dans leur rage
les figures échappées de toi, captives
qui te gouvernent. Il y a
des étranglements. Comme des bêtes,
qui se déplacent à toutes profondeurs.
Mille flèches pour fondre
sur toi d'en bas. Des mains
pour t'interdire ou te précipiter.
Ou peut-être n'y a-t-il qu'un arbre, immense
réseau de sève et de blessures. Une terre meuble,
qui respire et bruit dans la ténèbre. Rien
que ton souffle. Des sanglots. Parfois
quelque chose en sort, bat des ailes.

Montagne de tessons et de trognons,
Testaccio, chef et corps stériles, pyramide
qui ne sait pas frémir.
Mais la vie qui s'est perdue innombrablement,
notre vie qui s'enfonce, qui perdure, est retenue.
Comme ses grandes pelletées immobilisées
tout à coup remuent.

Il y eut
ces premières glissées par les verdures,
et sous le fouet de l'orage luxuriant
se découvrirent les seins de la fillette nubile.
Plus tard,
dans le renfoncement, sous l'ouverture haute,
un archipel d'odeurs s'élève du creux des corps,
et la mer est là, sauvage et l'origine...
Ornée de seins précieux, rousse, le chien en laisse,
attentive, la signora débouche sous les portiques.
Ô matrone creuse ! Et mamma grosse !

                                    [La maison vaine !

Et les nouvelles amours qui s'aigrissent :
Les rondes fesses, le dernier remploi du désir

                                        [poursuivant,

l'enfance toujours là, l'incorrigible.

63

— Millions de pas à la sortie des bureaux.
Rapides riens à la Cafétéria. L'on repart.
Les tramways qui s'empoignent. Le parcours ferraillant.
[Le bel été.
Les rencontres, les blagues, les agaceries.
Puis l'approche hésitante des corps, la suffocation
[éblouie,
les grandes lanières du désir, le lent supplice de la vie,
les gémissements dans la maison du faubourg,
l'allée d'ifs noirs, le cercueil en allé,
le repas sur les cendres avec les parents,
l'ultime fiasque vidée.

Dans les carrières habitées par les morts,
les dieux avec les hommes se sont parlé autrefois,
penchés les uns vers les autres pour se protéger.
Mais des dieux plus anciens dans l'homme
sont là qui veillent. Des bêtes qui rampent
se lèvent, la voix rompue.
Les prodigues, les renégats, les fuyards qui s'entravent.
La rivalité qui recommence avec d'autres.
Fureur mal ravalée, messagers lapidés,
vieillards achevés quand ils se rendent, agneaux
cloués aux portes, le gouffre, en ses vapeurs
très fécond.

— Glorieux, le soleil
s'est ocré au flanc des murs géants.
Dans les marchés des quartiers, l'azur doré chemine
avec bonhomie entre l'aubergine et les citrons.
Dans la rue où l'on forge, dans celle où l'on ravaude
les tapisseries déchirées de la nuit,

dans la rue où les antiques Mères nous initient,
sur la place où se concertaient un millier d'hirondelles,
dans la rue des prêtres froids et des étuves,
des bains sur le fleuve enlisé.

— D'un cirque qui fut, l'ovale d'une prairie demeure,
sommé de tours délabrées, proclamant
la nostalgie du pouvoir souverain
quand les pauvres changent de mouvance.
Des chiens féroces lâchés, les fauteurs qui hésitent,
la conciliation rusée, les représailles
remises à plus tard, les faucheurs
de long en large près de la mer.

Dans les nuages qui font arrêt au-dessus de nous,
lisibles noirs,
venus des parages des collines,
des *fattorie* apparaissent, pauvres et auprès
des maisons de paille, découpées comme des viandes,
pour le manger des bêtes et la litière.
Une ruine d'aqueduc passe en geignant.
Solennel, un concile de rochers, au soir tombant,
endormie la terre alentour,
puis le glissement rouge de la lumière.

ET LA GRISERIE DORÉE DES LOINTAINES ÉTABLES,
ET LES PAUVRES, CONFINÉS DANS LES PRÉS MAIGRES,
APPARURENT PAR LA BRUME, ILLUMINÉS SUR LES
                                          [FAÇADES
LES PLUS HAUTES, À CE DÉFAUT DU JOUR.

65

... Et les motocyclettes et les combines
de ceux qui les montent, la chaleur claironnant
à la Saint-Jean-d'Été, le goudron qui empoisse
tout ce fin bas violet, la rumeur
de la grande canicule à travers les persiennes,
hors d'usage, ces deux corps mâles, suant, suffoqués.

Et les épluchures pourrissent sur les dalles.
Les graffiti bronzés, signatures anonymes
tracées à la sauvette dans les encoignures
pour le soulagement du bas-ventre,
par la solitude énorme, dimanche, été,
marquent aussi bien tes couleurs, homme,
que le marbre.

Et de la stature des lions affrontés,
la patte gélive mordue par trop d'hivers
s'effrite et le blason chancelle.
Et le vin roule au Trastevere
dans les caveaux souterrains,
les sentences des buveurs prennent place
dans la sagesse éternelle de la Ville.

... Et les motocyclistes et les trombines
de ceux qui les montent, la chaleur s'engouffrant
par l'escalier défait, le goudron qui empoisse
les couvertures jaunes, le grondement
de la voix ancienne à travers les persiennes.
Dans l'enfilade des hauts greniers du palais,
l'adolescent forcé s'abandonne aux vicaires à la fin
et jouit.

Les pieds dans la flaque sale,
toute la bande avec les filles pareilles,
près des gazomètres de la via Appia Antica,
où l'on élève des lapins dans de nobles tombeaux
— ils rêvassent, ils ressassent, faisaient les braves,
les enfants sans aveu.
Des bruits lourds dans le ciel passent, qu'ils regardent.

... L'odeur de la futaille au soleil rouge,
le charroi dans les feuilles mortes, les peupliers
                                              [tranchés,
des paysannes puissantes, nues,
dans les grandes salles apportant les plats,
les tanks et les flammes qui s'avancent
parmi le blé versé, la montée
des eaux limoneuses emportant les soldats,
la Mère qui appelle et qui les frappe,
la traversée, l'aboiement noir...

Et l'énorme figure s'est trouvée au milieu d'eux,
tout à coup sur la place close — depuis toujours là.
Mais qui saurait la voir ? Qui saurait reconnaître,

saisi par l'imperceptible, par l'inexorable frémissement,
les deux faces
d'un seul grand corps qui s'enfle, englobe tout,
s'évanouit,
et qui se dresse double encore en le combat
— amples cuisses, rictus affronté, les dents —
qui t'annule, qui s'allongeait, qui naît...

Qui s'acharnait ?
Qui poursuit sa naissance ? Qui supporte les plaies ?
Qui voulait usurper, mais qui abdiquera ?
Qui demandait pardon ? Qui pouvait l'accorder ?
Qui a machiné notre Loi ? Qui
inventera l'innocence ?

Je fuis sous les huées,
par les arrières de la colline où portant la couronne,
ils préparent le triomphe. J'entends les tambours
voilés qui battent, et les marches gravies.
La haute fontaine vole en éclats. Des chiens immobiles
devant chaque porche tout au long des arcades,
les babines retroussées...
Mêlé aux arrivants dont la troupe s'allonge,
se disperse, j'avance entraîné par la voix,
je tourne, encore on tourne, on débouche sur la place.
Le tribunal se constitue dans les flammes,
la foule gonfle et ronfle, alimente le feu,
la foule a pris parmi le bois du sacrifice.
Qui est tenu sur le bûcher ? La vieille
qui nous a porté un sort toute la vie,
ou le héros étincelant dans la ténèbre ?
Qui maudit ou proclame ? De qui l'odeur ?
Je ne distingue pas la face noircie par les fumées.
Nous terrifiera-t-elle encore, ou s'il nous sauve ?
Qui brûle ? Qui brûle et pleure...
Et se dissipe, et se ranime si je suis là,
s'efface, chante, *CAMPO DÉ FIORI* partout au monde.

— Les incendies ne sont peut-être qu'une humeur
du soleil déclinant.

Est-ce aujourd'hui ?
Dans les quartiers l'on se souvient, on imagine
un caprice ancien du tyran. Parmi nous,
trois cent soixante et une des églises ont été murées,
qui seront ouvertes un siècle après
quelques longues journées, au moment du solstice,
pour que l'on sache ce qu'il en reste,
au sortir de l'ensevelissement,
du murmure des orfèvreries et des ailes d'ange
et du signe que tu fis apparaître au troisième pilier.
Alors à nouveau,
le recours au marmottement
et la patience des vieilles femmes sur les degrés.

... Si les ossements ont peu changé, ni la pierre
un peu plus pâle, des araignées
qui avaient tissé sur les autels, très bleus, légers,
comme des langes, de longtemps sont tombées

                                        [en poudre,
et se défont les langes
à la rumeur des portes que pousse la foule.
Vieux défunts sont les vers dans les retables taraudés !
Et les légendes se sont affaissées dans leur dorure,
entraînant l'ancien geste triomphal.

D'une grotte encastrée sur les toits,
par l'œil-de-bœuf qu'on a débouché,
du petit lit de fer,
si l'on voit s'allumer en tâtonnant
l'huile nouvelle dans les lampes,
quelle mémoire ancienne saurait reconnaître
les erreurs commises aux célébrations,
formule mal à propos, décalage dans les cortèges,
ricanement des cryptes, un jeune ange
adoré en place de la vierge, du sang apparu
dans les coquilles, ce bébé mort ?

Basta ! Il est trop tard pour larmoyer, camarades.
Ce matin des milliers d'enfants
ont déjà défilé en pleurs en vain,
qui étaient venus portant des palmes.
Retour à l'origine. Un ventre vide,
voilà le secret. Ô mon Seigneur, sauve qui peut !

— Tous les œufs se fendaient pour qu'en sorte
un museau qui se dandinait en avançant, qui mordait...

— En s'ouvrant, quel atome ouvrira
l'univers neuf ? Le nouvel œuf.

Pied de marbre, avec lanière de marbre
du soldat conquérant du monde,
débris qu'inventait la bonhomie populaire,
oublié aujourd'hui dans les détritus.
Cosa nostra ! Mince univers, notre marche poursuivant,
ruptures et retours, dimension rétrécie, tutto compreso,
finito, morte.

Qu'allons-nous faire de tous ces marbres taillés ?
Ces vierges qui n'ont plus cours, ces colonnades et ces
                                                    [palais
qui n'en finissent pas d'occuper la place ?
Mais déjà nous ne sommes plus
présents qu'à peine, ce sont d'autres
qui vaquent à leurs affaires, et nul

n'entend désormais
des figures qui avaient pour nous charme ambigu.

D'autres paroles seront machinées, se déchaînent.
De nouveaux masques, on n'y retrouvera plus rien..
— On, c'est façon de dire, si nous sommes morts !
Le lierre fourmille, il agrippe un nouvel âge.
D'autres reconnaîtront
la fureur et les charmes, les emblèmes
de leur aujourd'hui.

— *À leur tour, ils ne s'y reconnaissent pas.*

... Descendus des murs saints, les troupeaux en tumulte
sont passés par les rues vers le ravin,
les yeux des béliers, rouges la nuit.
— Des jeunes gens sourient là-bas, ils s'embrassent.
— De forts ânes montent les marches, le fardeau
bute sur la colonne, il tombe.
— La louve tarpéienne bâille entre les rochers.

Depuis toujours, par les excavations,
des couples de bergers
surgissent de la nuit la plus longue.
Avec la flûte et la cornemuse,
ils s'en vont par les guirlandes illuminées
pour annoncer encore un coup
l'antique naissance.

— Depuis trop longtemps se préparaient les captifs.

Des ribambelles de statues mutinées, de palais pris.
Des ritournelles pour enchanter les enfants pauvres,
pleurant qui rient.

Qui peut promettre ou compromettre ou conjurer ?
Qui jugera ?

Dans le sang caillé des morts ou des vivants,
qui lira les présages ?
Ô très antique sibylle, ô vestale,
bouche de vérité si le cloaque fume !

Rome, Paris. Rome.
Décembre 1963. Décembre 1969.

Paris comme une baguette de coudrier
pour te conduire à travers l'épaisseur
selon le mouvement des petites rivières enfouies,
aux confins de la Seine et du temps disparu,
livré à la liberté de ta démarche,
délié par le parcours, étourdi par l'été,
enjoué tendrement par les nuages.

Qui te répondait quand tu cherchais,
parmi la foule dessaisie que cherchais-tu
entre le jour et la nuit, dans la solitude
émue par un appel ?
Que voulais-tu saisir qui se diffère,
comme un bateau poursuit que poursuis-tu
par l'infatigable rue qui t'entraîne ?

Rue Chanoinesse déjà tu voudrais tenir
un passé proche sur le zinc en étain
où le vin rouge roulait en demi-setier.
Évanoui, mais tu vas. Si les vitres en haut des arbres
à l'aube encore nocturne t'apparaissent

miroir de plus loin que ta rêverie,
tu voudrais reconnaître l'inconnu oublié.

Serait-ce le souffle des morts, le vent qui passe,
ou le souvenir de personne ?
Du Louvre ancien muet, des églises sourdes
écoute, entends qui s'émeut dans la rumeur,
de toute vie bien morte partout sortant,
le sinueux passé pour devenir bouche unique.
Oh ! pour t'éveiller dans le chant total, qu'il en faudra !
Si des voix s'élèvent ici pour ton oreille
rue de la Corderie,
elles n'ont prononcé qu'un instant de l'aventure.
Va plus loin, il te faut découvrir d'autres paroles.

Les enseignes et les signes, tout l'ancien langage,
les mots non ravalés en haut des façades
lentement parées à l'encre d'imprimerie.
Tu voudrais épeler ce que cachent les lignes
de ce grave texte à déchiffrer.
La mémoire des rues... l'annonce de ton avenir !
Ce ne serait pas la mort seule. Allons donc !

Les bateaux rangés dans les encoignures,
les feuilles tremblant par les vapeurs de l'automne,
le ciel bleu rougissant les berges.
D'une barrière à l'autre barrière,
des Patriarches au Roi doré
tu allais vers la nuit, qui s'avance lentement
pour maintenir plus lourd le secret attendu...

Les projets se sont dissipés, qui t'attardaient
dans l'avouable été.
Entraîné plus étroitement par l'opaque,
l'inimitié te devient complice.
Tu fais l'inventaire d'un lieu qui se détourne
et qui t'attire, d'un degré à l'autre inconnu.
Quelle impatience t'oriente ?
Le hasard au long des heures s'appesantit.

Tu vas, mais où vas-tu qui t'éloignes et te troubles ?
Tu reviens sur tes pas, mais que vérifies-tu
par cette ruelle jaune ?
Tu bois, est-ce que tu bois ? Environné de vent
tu montes et tu descends. Détresse ou joie, qu'importe.
Carrefour comme une clairière aux Blancs Manteaux.
Tu t'avances où veut qui ? Toi seul et l'Un
qui se diffère dans la pénombre.
Aurais-tu peur qui t'évanouis,
si tu entends, épars sous le tombeau des pierres,
s'enfler le souffle du taureau éclatant ?

Rue Maître Albert, *ici on loge la nuit.*
Pourquoi t'arrêter, pourquoi t'endormir
si tu rêves éveillé de nuit de jour,
inapaisable témoin qui nais, qui chantes,
responsable de tout, sans poids pour porter
l'univers qui te défie dans ta voix, tu le croyais.
Quand le quartier Barbette fermait ses paupières,
avançant dans le passé jusqu'au-delà du temps,
la pierre qui s'assombrit s'entrouvre au soleil rouge,
la lampe-tempête charbonne entre les barreaux...
Quand les bêtes de pierres arraisonnaient les passants,
que s'évanouissaient les hautes bornes...

Trente ans, il y a trente ans ! À nouveau tu marches.
Au cœur de ta rêverie
t'auront ressaisi, peut-être,
les rues, les archives des journées disparues,
ravivées parmi les couleurs, tout d'un coup pareilles.
Remâche dans ta rêverie les éclats d'autrefois rendus,
quand tu allais sur tes vingt ans,
allant sur les vieux ponts entre les rives,
une envie de mourir enfantine au flanc, si égayé
par la feuille de platane qui tournoie entre les livres.
Alimente si tu peux ton cœur abusé.
Il n'y aura jamais assez de soleil pour réchauffer
à l'âge de la mélancolie ton froid venu.
Il n'y a pas de souvenir pour reverdir assez
pour donner ramure à tes branches grises.

Tu poursuis ce qui t'entraîna, qui n'est plus
qu'un désert très aimable. Tu chantes sans désir
une longue marche vainement ordonnée par les mots.
Mots qui trompent, impliqués dans un ailleurs
cependant hors d'accès.

Tu avais cru découvrir le profond pays.
Tu avais cru reconnaître l'ébranlement
du souffle s'élevant à la résolution de ta mort.
En t'abîmant tu irradiais sous ton suaire vide.
Tout ce qui t'illumina peut-être est toujours là
dans l'affreux aujourd'hui sans fin.
Tu n'avais pas su t'y enfouir assez fort
pour ne pas te paraître ce soir abandonné.

Ce n'est pas l'enjouement du matin par la ville
que tu cherchais ici, la courtoisie
du mouvement du ciel floconneux sur les pilastres,
ni l'imprévue douceur des grands rectangles clairs.
Ce qui t'emporta surgissait hors de la vue
parmi les signes incertains, à force d'attente.
S'il n'est plus rien ici, pourquoi t'acharner,
si tu n'apportes rien ici, pourquoi
retourner sur les degrés obscurs
parce qu'un rat soudain a passé la tête ?

Tu renonces à ta figure qui s'éclaire par la nuit.
Tu te caches dans les avenues où l'ombre
                                    [est moins lourde.
Voici que tu badaudes au milieu du peuple gentil.
Gens de quartier, bonnes gens, les compagnons
                                    [modestes
les ménagères et le marché au seneçon,
bistrots laborieux, lapin sauté chasseur,
trois marronniers.
Tu renonces à la recherche qui t'était promise.
Tu fuis si tu vas seul.

Tu partiras vers d'autres lieux qui t'ont aimé,
Campo de Fiori, *Mala Strana*. Or à quoi bon ?
Les lieux d'approche n'ont plus de voix, nulle flamme
ne s'éveillera par le sourire amor.
Pourquoi parmi tes pas ajouter d'autres pas ?
Partout l'œil infertile, une inerte clameur,
le jour la nuit bouchés.

Le temps accompli n'est pas révolu, il pèse.
Un parti de murs a pris ta forme en toi,
qui s'éboule et t'enferme.
Oh ! pourquoi l'espoir acharné ment-il encore
si tu ne portes, sous d'autres fruits qu'ombres perdues,
que cette envie de n'être pas, mate et précise !

Juillet 1959-février 1960

PARMI LES SAISONS DE L'AMOUR

1959-1965

LA CHASSE

Bête poursuivie, chasseresse exultante,
la même chevelure.
Je t'ai agrippée, tu m'as pris.
Nos membres à jamais au combat confondus.

Mais déjà se défait l'impatiente aurore.
Étonnés, insouciants,
nous recouvrons nos corps.
Si loin, il n'est plus ici qu'un autre, plus rien.

1943-1961

JEUNE AMAZONE ET SON OMBRE

I

Toujours la flèche en mains, allant à la rencontre
Toujours enclose, avide, en la morte saison.
Jeunesse à l'appel de l'illimité je brûle,
foison aride, les plaisirs. Libre

II

Si près, si loin l'appel, toujours me dénuant,
j'attends en avançant, je découvre et me jette.
Corps serrés au combat, de victoire en victoire.
Terrible joie brûlée. Qu'ai je saisi ? Je pars.
Présence impatiente, je suis la neige,
ses mille feux perdus... Sans répit
la course. Maudite, seule.

III

Le vertige est passé sans un regard durable.
L'immensité se désavoue.
Sans plénitude je suis dessaisie,
prisonnière de rien.

En te liant, mon amour te délivrerait.

La neige seule saurait m'illimiter. La flamme, la neige !

Tu t'aimes en un feu noir à n'embraser personne.
À toi comme à moi, le désert !

7-25 novembre 1963

SUR LA CALME NEF

Oh ! Sauront-ils se prendre sur la nef des fous,
celle qui s'enfuit de la nymphée et le paralytique !
Sous le travesti d'enfance minaudière
la gouaille cache mal la trop faible beauté.
L'autre se tient auprès, infranchissable,
à l'ombre souriante encore de son délire.

Elle est protégée par un arbre en érable,
à la dérobée de la nuit, la reconnaissant.
Qui saurait le retenir encore, l'autre ?
Pourquoi voudrait-il que ce fut elle ?
Et les vieilles, étendues aveugles, entrevoient
dans nos yeux incertains, peut-être.
Chacune entretient son épave, la caresse.
Moins féroce alentour, gémit la mer.

Prenez pitié de nous, les grands thérapeutes
qui seuls détenez droit de regard et la bonté !
Oh ! Si les étrangers, innocents dans la cale,
pouvaient s'aimer !

15 septembre 1962

93

AU VIN

Ni à toi ni à moi.
À l'étranger sans visage.
À l'embrasement de la source.
À l'égarement sans traces.

À l'orée de la nuit,
elle s'élança de la nymphée.
Elle s'est évanouie comme un orage.

TOAST EN RÉPONSE

Aux défis de l'impossible.
À deux déserts si distants.
À la lumière qui les sépare.
Aux gemmes incertaines de l'abîme.
À la vérité d'une approche éperdue.
À la médiation du feu.
À l'inacceptable. À la reconnaissance.
À l'échange. À la réparation.
À la migration ensemble.
Au commun accès.
À toi. À moi.

Septembre 1962

DANS TA FORTERESSE

Si elle ne connaît pas ma demeure,
à moi aussi obscure,
elle distinguera parmi la broussaille
mes flèches, mes signes.
Et si elle ne sait pas voir,
mon désert l'entreprendra et l'acheminera.
Puis elle se glissera entre les terres meubles
sans trappe ni outils.
Elle saura éviter l'eau hagarde le long des défenses.
Guidée par l'œil intègre de l'épée,
elle s'avancera par l'accès où toutes s'aveuglaient
parmi les roches tailladées.
— J'ai tout prévu, limité le temps de l'approche.
Les autres, je les ai récusées.
Je me tiens dans mes liens. J'attends.

— Si je viens jusqu'à vous, j'entrerai
avec les nuages dans votre forteresse.

1962

NI DE TOI NI DE MOI

Ni des lieux perfides l'arrangement grenat,
ni du vaisseau houleux le reflux,
la remontée prochaine,
ni des nuages solennels,
ni du terrible automne des oiseaux traînant bas,
ni de l'abîme hostile,
ni du jour où nous oubliâmes
l'appel avec l'oubli
et l'île et le vaisseau...
Ni de toi ni de moi, je ne parlerai.

9 décembre 1962

UN CHARME FATAL

Les yeux couleur d'eau profonde,
les cils effarouchés comme d'un oursin,
la poitrine soulevée encore
par la vague doucement,
ô si tendre et si tentante
sirène sans mauvais dessein,
qui m'entraînes après les autres,
te fiant à ton destin
d'être seule dans la mer,
innocente, désolée.

23-26 novembre 1961

98

DÉSASTRE

Le soleil frappant bas parmi le ciel veiné.
La promesse défunte.
Plus noir que la mort.

18 novembre 1959

LA LUMIÈRE EST DANS L'OMBRE

La lumière est dans l'ombre et le désir y joue
la rencontre amoureuse des corps.

Branche de feu, plein vent qui passe.
Pour déjouer notre désert,
plaisir et songe en bonne entente.

Mars 1963

FORCLOS L'AMOUR

Forclos l'amour, la mort ouverte, pleine,
la vie par-devant plaisamment bricole.

1963

TEMPLE LÉGER

Pour un bonheur léger
j'aurais donné ma force,
et j'ai perdu mes traces
par les malheurs maudits...

C'est le temple de Caroline,
comme un nuage d'oiseaux.
Elle s'y pare, elle y blondit.
La beauté s'y fait les ongles.

Et murmure à la mer, Caroline.
À la chute du jour elle sombre.
— À vos ordres, madame, ceux de vos songes.

Mais ce sont les très seuls miens, et je mens.
Qui êtes-vous ?

1959

MORTELLE

Pour charmer
ta chevelure
de luciole,
Deborah,
toute la mer
a ourlé
ses tempêtes
en dentelles
à tes genoux.

1964

BÊTES GALANTES

Masqué de paille
au jardin du beau lion,
ô mon lascar
te tairas-tu ?

Au cul groin rose,
oscillait qui oscillait.
Les nymphes lisses...
C'est à toi, c'est à moi, c'est à l'autre.
L'universel, le perdurable
désir qui va.
À nul féal,
la source ronde.

Masqué de paille
au jardin du beau lion,
rêveur qui grondes,
à ce débat
prends ta part, ose.

Rome, octobre 1965

PETITE ROSE VERS LE CHÂTEAU

Et jusqu'au rossignol qui m'emplit de ta voix
cette nuit dans ma chambre,
sorcière enfant avec au petit doigt
l'anneau pour te protéger.
Ô Rugena, alchimistes nous deux
et la rose apparaît.
L'ouverture d'une rose,
même qui sait déjà n'être pas éternelle,
parmi la montée au château, invisible,
parmi l'embrasement d'une fleur unique
où nul ne saura nous apercevoir
jamais plus, Rugena.

Prague, 1966

SUR UN DES LITS DE L'AMOUR

LA JEUNESSE BLESSÉE ET LE VIEILLARD

Confiante, elle ment dans l'oreille débonnaire.
Confiante, elle murmure sa blessure première,
jeunesse atteinte ainsi qu'un château noir.
Le vieux penche sa tendresse parmi les larmes.
Il ne peut rien étancher, il n'a pas pouvoir.
Plaintivement, il la comprend, il la protège.
Sa bonté s'indigne, son cœur qui rajeunit
si vite et se ment...

                    Oh ! Elle sait trop
qu'il l'aime, qu'il attend. Elle n'y prend garde.
Ou bien se venge-t-elle sur lui,

                        Laissez mes lèvres !

qui désire, sans l'espérer, l'enfance sans pitié.

Oh ! Laissez.
Laissez-moi gémir sans avoir pitié de vous !

MIROIR DÉSERT

Elle s'invente des regards pour s'y perdre
et se prend dans son miroir au désert multiple.

Tant d'hommes pour rien
et s'il ne vient pas, en quelle eau basse
déchirera-t-elle ses propres lèvres
ou ces milles langues qui l'abaissent ?

Oh ! S'il ne vient pas, en quel feu boueux
se déperdra-t-elle à défaut d'être
une avec l'autre !
Et à quoi bon, à quoi bon
s'il n'était aucune promesse prévue
pour celle-ci ?

CORPS PERDU

(une femme parle)

Je ne m'ouvre pas pour vous plaire,
même si je le crois.
C'est pour me simplifier.
Pour échapper aux bêtes.
C'est pour m'y livrer.

Peu m'importe qui, ou presque.
C'est pour moi que je m'étends.
Pour détourner la nuit.
C'est pour l'attirer.

C'est pour en perdre haleine.
C'est pour trouver le nid.
Pour me perdre.

La mort qui n'avoue jamais,
la mort bien pleine qui me gonfle
jusqu'ici avorta,
bientôt aura la place.

111

SANS PITIÉ

(une femme parle)

Pour connaître le monde,
pour découvrir l'unique dont j'étais privée,
j'ai ouvert les jambes.

Assez large pour ne pas le manquer,
plus petit qu'un œil sur la roue du paon.

La beauté oscillait avec moi.
Chasseresse toujours vaincue, ocellée.

Je suis volontaire si tu me plais.
Je paie de ma personne pour me perdre.
À défaut d'embrasement la curiosité.
Je tiens en réserve le cœur aux aguets.

Et c'est toujours le même effroi.
Cent corps, cent corps de trop
pour infirmer mon espérance.

J'ai perdu mes branches.
Ai-je encore des regrets ?
À force de caresses non véritables
mes belles cuisses sont de bois mort.

SI JE ME DONNE

(une femme parle)

Peu de plaisir, beaucoup de honte.
J'essaierai tous ces corps de rien.
Si le remords me nourrissait
je serais ronde.

Je ne sais plus ce qui me blesse,
ni si j'ai peur, ni si j'espère
échapper à leurs mauvais songes
lancés sur moi comme des bêtes.
Je suis tremblante si je suis brave.
Je suis rusée quand je dis vrai.
Je sais briller sans me plaire.
Je suis secrète sans secret.
Je suis déserte.

Je me donne, donc je suis.
Qu'importe s'ils n'ont rien à prendre.
Un instant je me rends libre,
j'existe désespérée.
Je suis fière quand je me couche.
J'irradierai, la jambe ouverte.
Je me venge, les bras en croix.

114

Contre mon père, contre le monde,
contre le soleil qui n'éclaire pas,
contre la lune qui se moquera,
contre tout le froid qu'il fait.

SUR UN DES LITS DE L'AMOUR

Une bestiole vorace était couchée dans mon lit.
Elle sentait bon et ses lèvres étaient agréables
quand elle permettait de les toucher.
Nous nous tenions étendus, plusieurs avec elle,
reposant suavement comme des danois.
La jeune fille aurait éprouvé de la gêne
si sa mère avait osé entendre les cris,
ou si nous avions su entamer la gorge.
Mais sa beauté nous intimidait, je le crois,
et aucun jusqu'alors ne l'a fait.
Nous continuerons à l'aimer de la sorte.
Encore là, elle et nous, à la fin des temps.

LA MORT D'ACTÉON

1967

Qui joue sur les eaux vives dans cet éclat sombre ?

Voulait-il se perdre quand il regarda les seins nus ?
Et fut-elle si cruelle, déesse ou femme,
à vouloir le précipiter hors de son corps ?

Désirer, c'est se perdre en l'azur étranger.

Mais le mouvement du sang n'était pas encore,
où elle aurait su
désirer qu'il la vît et qu'il vînt, la forçât.
— À bas les yeux, Actéon. À d'autres...
Actéon sera pour ses chiens, prononce la déesse.

Et s'installe au spectacle donné à sa fureur.

— La Loi, toujours est-elle infranchissable
si la vie c'est la quête et c'est tâcher de prendre.
Un corps doré pour dorer la pénombre.

119

Un long corps blanc dressé, avec ses flèches blanches,
par les feuillages déchiquetés de la nuit.
Et plus loin elle est l'aube... Guerrière à son combat.
Par les contrées, par les journées, insaisissable.

Je l'ai cherchée ou je l'ai fuie.
Je l'ai portée.

De moi partaient ses traces
que sa course toujours démentait.
J'ai traversé les marais, les nuages pour l'atteindre,
et les deux bords du gouffre,
je les ai forcés dans un bond, à l'imaginer là.
À inventer ses pas, j'ai confondu mes routes.
Et la rage contre elle m'en fit mal traiter d'autres.
Et je l'ai découverte — je m'étais égaré.
J'approche lentement... J'ai bravé les défenses.
Je coule mes yeux fauves
par le bruissement des feuilles et je l'ai vue,
géante chasseresse.

Elle entre au bain, avec ses filles mi-troussées.
Et vont se lutinant. La source est vive, chaste.
La jambe soulevée parmi la vapeur bleue.
L'eau ruisselait jusqu'au ciel pommelé.

Elle a rencontré mon désir, a vu mes yeux.
Sa rougeur en courroux, en frappant la forêt,
a gagné les rochers, gorges et chevelures,
le paysage entier suspendu dans un chatoiement.
Elle hésite un instant, délivrée ou confuse,

je l'ai cru... Et me suis avancé, vainqueur de la déesse.

... Dans l'auge où elle faisait valoir ses cuisses nues.
Elle a sa lance en mains.
Et m'aurait tranché là, l'impure, l'intouchable.

Et s'arrête Actéon tout à coup, à jamais.
Saisi dans le déroulement du sortilège.
(Elle, n'en veut rien perdre et tenant son plaisir,
pour le prendre au meilleur ralentit le supplice.)

... Il s'est retrouvé sous un autre visage adolescent.
Il a pris tout d'un coup simple regard plaintif.
Un cimier de ramures s'élargit sur son front.
Un pelage couvre ses jambes, ou des pattes déjà.
Et les os, saisis l'un après l'autre, sont remplacés,
les genoux et les mains, les muqueuses.
Et le sang devient torride aux tissus bouleversés.

Encore assez de lui pour en distinguer l'autre.
La fureur, au miroir de ses chiens hérissés,
le chasseur y renaît si la reconnaît vaine.
Il a pitié du cerf. Il en est pénétré...
Celui que tellement il a forcé,
si intime proie unique avec lui déjà...
Lambeaux communs, tantôt... Voisins, en attendant,
sous la même peau : la frontière
qu'à chaque battement il sent franchir.
(La chaleur de l'animal, sous l'effet du charme,
sur la portion d'homme qui se réduit, gagnant.
Et gagne encore, l'évince.) Mais quel effroi complice,

quand les premiers chiens s'enhardissent, grognent.
Actéon regarde, glacé d'horreur, il jouit.

En face, Diane sur l'autre rive regarde,
le pied caressant l'onde, et désigne à ses femmes
l'immobile Actéon,
à travers son déguisement lui aussi au spectacle,
intéressé aux bêtes qui flairent et qui reculent.

... La mort qui le fonda en un corps propre,
il la voit revenir, il la voit s'accomplir
dans le festin que prépare à ses chiens, à leurs délices,
sa chair encore qui change.
Nourricière de la vie, la terrible et calme
Mère unique lui adresse un signe dernier, Moïra...

... Quelle était la quête ? L'adversaire,
c'est le tout qui échappe.
L'issue ne sera pas l'humaine bouche
mais l'accès souterrain...
Devenu celui que je chasse et je me perds.
L'autre, c'est la mort. Je l'apprends
au moment où je vais l'oublier.
Pénétré par l'ombre et serai délivré :
enlevé à moi, rendu à l'innommable.

— Qu'avait-il vu qu'il n'aurait pas dû voir ?
Quel abandon de ton corps, ô guerrière,
dans ses yeux reflété, fut pour toi si cruel ?

Corps à prendre, à brandir à charmer, à tout faire.
Grande Mère à profusion.
Corps insoumis, commun, en danger, en délire.
Fissure ancienne enfermée sous les feuilles.
Chute béante par la plaie. Montagne redressée.
Brûlant, brûlant de joie, ensemble recouvrer
un corps unique, et le resplendissement.

— Est-il aux prises avec une femme
dans les crocs qui l'assaillent ?
Par ces bouches délirantes voudrait-elle
caresser une fois son corps vaincu ?
... Dévêtue la déesse, et mille bêtes nues,
et de désir qui le mord et déchire.

Nul autre en ce débat que les bêtes et lui.
Et la mort dans ces halliers très froids.
Un rocher, par les yeux du cerf, un moment

[l'a distrait.

Une clameur où l'on brame et l'on hurle,
est devenue tout l'écho de sa voix.
Il se précipite dans ces cris.
Il abandonne ses membres qu'on dispute.
Et d'entre les parois de son corps égaré,
au parloir souterrain où déjà il piétine,
ces aboiements d'enfer, il les a reconnus :
Proies innocentes. Bêtes cruelles. Ô chiens fidèles
d'enfance. La meute
qui de toujours le dévorait, c'est lui.

Il n'est mort tout à fait, il meurt toujours, il rêve,
se tenant renversé.

Encore l'irréductible toujours vaincu désir,
encore tout le passé
de gueule en gueule passe aux bêtes fabuleuses.
Ô réseau d'un sang frais aux bouches qui s'égaillent.
Et simple nourriture à des chiens familiers.
Paroles noires, négation tenue
au long du dernier souffle sous la dent de Cerbère.
Les lambeaux de ses cris, saisis à perdre haleine,
aussitôt engouffrés.

— *Un regard devrait-il offenser une déesse ?*

Le torrent qui tomba et l'ample nappe brève,
les deux îles en place, les aimables ébats.
Les beautés aux beaux plis, belles à toge claire,
les ombrages taillés, les jeux de l'eau qui traîne,
et sourire et silence en un pas de ballet.

Qui joue sur les eaux vives dans cet éclat sombre ?

30 mars-16 avril 1967

NOVEMBRE

1961

C'EST POUR MOI LA MER

à Jacques Busse

Une grande nasse de mer bruissante
s'élance et revient.
Qu'aurais-je à entendre, île d'Elbe proche,
tes clins d'yeux des phares.
Plus de souvenirs, c'est pour moi la mer.

C'est la grande masse pleine, Méditerranée.
Mille instants de l'eau qui s'en vont, puis frappent
sans lune et sans crainte la chambre où je dors.
Oh ! je m'ouvrirai ! Les rêves débordent.
Joue dans mon oreille et, joue contre joue,
crions et roulons. Le leurre ou l'appui,
c'est pour moi la mer.

Tu t'emportes grosse, tu poursuis et trembles.
Tu salives fraîche, en flaques de lait.
Peut-être plus loin, la peur ou l'oubli ?
Par tes grands tumultes, l'as-tu murmuré
le fin mot du monde ?

Ô mon amie creuse qui m'a pris et t'enfles,
en vain tu t'acclames, ô claquemurée.
Encore tu reviens, et ton cœur qui bat.
Tu m'as reposé. Mais je le savais :
L'être c'est la mort, c'est un vieux désir.
Disparu en toi,
le temps non vécu c'est du temps gagné.
C'est pour moi la mer.

Quercianella Sonino, 7 janvier 1961

LES SAISONS

Pas encore finie ma vie puisque j'avoue
l'autrefois.
Les dernières vacances commencent,
les profonds yeux s'ouvrent.

La maison s'éloigne dans l'égale clarté,
les bouffées affluent, les bourgeons.
Qu'importe la vie perdue, ô bonté,
puisque la lumière, l'amoncellement.
Je chanterai les saisons pour le dernier mot.

29 octobre 1961

SAINT-VALLERIN

Les lampes de cuivre dans l'autrefois, sacrées.
La tourelle quand vivaient les grands-parents.
J'épiais ma vie dans la chaleur bienveillante,
et la mort était douce qu'on célébrait
dans l'église d'autrefois.

L'automne m'a donné la dernière parure,
violette et jaune sur les vignes rangées.
La lumière émerveille les yeux défaits.
Finie l'enfance, la mort avec la vie.

24 octobre 1961

TOMBAL

Sur un livre d'ivoire,
l'amour deux fois avouable,
tu as pu l'écrire comme un secret.
Soixante années, toute la vie droite
fut embellie,
ma sœur bien-aimée, Marie Bourgeon.

24 octobre 1961

UNE BOUFFÉE DES MORTS

Je n'ai rien oublié de ceux-là que j'aimais.
Ils s'étaient enfoncés, ils vont reprendre force,
me touchant à la gorge.
Sous tant d'années enfouies, la lumière ce soir
retrouvant la splendeur, une larme les monte,
les bien-aimés gisant par mes printemps défaits.
Leur donnant accès entre les grands arbres
                                                    [d'aujourd'hui,
sous les nuages d'aujourd'hui,
bousculés dans un arc-en-ciel impatient,
tous mes éclats d'enfant parmi les corps furtifs.

Je repars avec eux, loin dessous mon visage.
Je descends dans l'ombre qui nous gouverne,
faisant figure ici puisqu'ils m'ont mis au jour
ces morts, encore vivant si j'en suis la mémoire,
veilleur ou bien tombeau — De moi aussi tombeau,
ornementé puisqu'il le faut,
d'un sourire agréable sur le revêtement.

3 novembre 1961

LES MORTS QUI ME RETIENNENT

Les morts qui me retiennent
dans un réduit mouvant,
confondu avec eux :
bouche gardée secrète,
énergie éperdue
en vain voulant le jour
où si mal je fais face,
incertain sous le poids
qui me manque et m'entraîne,
la part dont ils me grèvent,
l'innombrable vaincu
qui commande et se tait,
tout ce vivant obscur
où les morts me réduisent,
m'acharnant après eux,
inconnu comme ils furent.

Bien aimés mais haïs,
les morts mais les vivants,
pour toujours m'ont saisi
par l'enfance néfaste.

5 novembre 1961

AYEZ PITIÉ DE VOUS, MÈRE

Trop de larmes retenues, la vie pressante en vain,
l'habituel orgueil sans relâche raidi.
À quoi bon des bouffées anciennes revenant,
le *Ternin* liquide, l'enfance dans le songe
de la femme vieille, soudain réapparue !
Tu es tenue en respect maintenant, refusée.
L'amour tardif, le monde ni l'enfant n'y peut répondre.
Malédiction promise à qui n'a pu s'ouvrir.
Il n'est plus temps d'avoir pitié de vous, Mère.
Pour vous voici seulement la nuit, voici
la seule réalité reconnue dans l'effroi :
la dalle funèbre qui s'approche très lentement étale,
sans plus d'amour par là-dessous d'aucun qui vous aima
que sur la terre mal assurée des vivants.

24 octobre 1961

GENTIL VILLAGE

Gentil village
sur la peau lisse et verte,
et ces nuages pour l'outre-mer,
tu ne m'auras jamais quitté,
ô bonheur trop précoce,
si me sourient d'entre les buis
des bouffées d'un enfant qui fut là.

1ᵉʳ novembre 1961

135

ECCO ME

À force de l'aimer saurai-je la contraindre ?
A-t-il brillé pour moi le vrai regard ?
Qui voulais-je prouver ? Où me perdre ? Où me
                                    [prendre ?
Mais à qui fut jamais promise, quelle ?
Ô ci-devant vainqueur, contre toi le temps gagne.
Aurai-je assez menti !

J'ai retrouvé la déchirure inoubliable.
L'enfance qui m'accompagnait, les yeux perdus,
s'est redressée avec son vrai visage : c'est moi.
J'ai bouclé ma vie, j'ai achevé le tour, découvrant
la pesante encolure de ma mort.

8-10 novembre 1961

136

TOUSSAINT

Les labours parcourus par les oiseaux plaintifs.
La pluie fine enfonçait les rameaux jaunissants.
Le retour en carriole avec l'ours sur mes genoux.
Un enfant-dieu passait dans les yeux des grands-parents.
Était-ce déjà la mort et le pardon pour tous ?

11 novembre 1961

ÉTAIT-CE PRIÈRE À LA MORT ?

Était-ce prière à la mort,
le recours au père orphelin ?
J'ai prononcé sans les vouloir
des mots qui m'interdisent.

La prairie avait trop de charmes
pour être donnée à la vie.
S'il n'est permis de recouvrer
les éclats où l'on fut vivant,
qui peut faire semblable lumière
sinon la fin et l'origine ?

Vivante au fond, contrebattue
à plein sang par le cœur complice,
innocente et veinée, toujours prête,
mais pourquoi soudain dans la voix ?

— J'ai peur de ce que j'écris.
J'ai pitié de moi... À quoi bon
la fierté ? La peur aujourd'hui
gémit en fleurs.

18-25 novembre 1961

L'ENFANT TRIOMPHAL

Tous enfantins, nous allons dans l'ombre impatiente
vers le roi bienveillant qui nous sourit.
Des arbres d'aucun pays depuis longtemps s'espaçaient,
la charrue arrêtée dans un nuage de passereaux.
Les plantes sur les collines étaient de bon augure,
avec des campanules disposées pour nous.
Nul obstacle, disparu le plein vent des jours !
Si juste l'accord qu'il touchait les sources délaissées.
Moisson d'eaux profondes, juste épanchement du temps,
nous nous sommes dépouillés en traversant les contrées,
ni la lumière ni la nuit ne nous retenaient.

La prairie était large comme le ciel,
où s'avançait l'enfant triomphal.

11-17 novembre 1961

LE LIEU COMMUN DES MORTS

1961-1965

LE LIEU COMMUN DES MORTS

Le lieu commun des morts c'est la terre en travail,
la chimie parmi les corps qui se défont. Le soleil pompe
les corps simples, les minéraux rendus à l'eau nouvelle.
Orbe de la lumière de toujours veinée d'ombre,
le circuit innocent.
Où sont les morts ? Ils étaient dans la pluie.

Et c'est moi qui agonise désormais.
Cercueil aux clés perdues, les tiroirs qui s'enfièvrent
Des livres de l'école, des rumeurs m'ont saisi.
Laissez à la poussière. Brûlez toutes les lettres.
L'insoutenable amour depuis toujours manquant.
Brûlez. Brûlez l'enfance.
Ô qu'il n'en reste rien s'il faut demeurer là.
Ô qu'on la fasse taire. Qu'elle soit morte.

6-10 juillet 1964

DOUBLE STÈLE À LA MÉMOIRE DE P.-A. BAR

à Renée Djabri

I

Inéluctable droiture par quoi il fallait passer,
sinon être exclu !
D'où surgissait-il, ami, le devoir de bonté
pour qui n'attend rien et souvent grommelle ?

La vie vaine,
l'ombre portée de l'espérance vaincue...
L'œil infatigable cependant s'émerveillait.

La main vive à aider, la main qui dénie ses dons...
Oh ! celui qui plaisante !
Qui n'oublierait celui qui ne demande rien !
Ce monde ne vaut pas
                    plus que d'en rire.
Mais les anciens parages décidément évanouis,

l'amour des hommes peut poursuivre naïvement
[l'aventure...
Puisque la confiance apparaît avec l'herbe.
Puisqu'avec les efforts et les nuages
elle sait appareiller tout un peuple pour s'éblouir.
Puisqu'on peut apporter quelque éclat dans un regard,
soi-même peu assuré.

Au moment fatal, éperdu de vivre,
te débattant rompu, tout d'un coup qui renais
sous les traits de l'adolescent intrépide,
ton corps fragile un instant resplendit...
Est-ce l'intégrité du juste qui a pouvoir
de reformer le visage qui se défait,
ou si la mort voulait rendre les honneurs
au corps vaincu avant la pourriture ?

Mais déjà tout est clos,
le silence désormais sans appel.

Adieu ami, adieu.
Déjà,
rien ne reste de toi
qu'un amour qui s'éteint
avec nos vies frêles.
Rien ne reste d'un homme qu'exemple perdu.

1960-1961

DES TOMBES VIDES AU PÈRE-LACHAISE

à la mémoire de Paul Chaulot.

Les os ne sortent pas, énormes, de la terre,
trouant tout.
Les os sont morts plus tard que les défunts,
mais ils sont morts.

Tous les regrets se sont brisés avec les tombes
des regrettants. Oh ! Tous les saints sont morts.
Familles éteintes, mots sous la mousse. L'automne
seul à perpétuité.

— *Il y a trop de chemins, trop de maisons dans ce grand*
ont dit ces pauvres enfants.   [*parc,*
On a perdu l'adresse. Où sont les traces ?

— *Bonne continuation à tous, dit le préposé.*
— *Messieurs, dit-il encore, pour dresser l'inventaire*
de tous ceux qui ont eu leur attache un jour
en cet enclos, il faut des scribes
plus que des hirondelles.

... Ci-gît
un tel, de son état propriétaire...
Les sociétés savantes et la philanthropie...
Il fut bon père, bon époux... Ma chère femme...
Fidèles amours, belles couronnes et perles fines.
— Et le ver équitable...
Dieu n'a pas protégé les siens plus que les autres,
à supposer qu'il en ait à lui !

Du plus noble des marbres, la table tombe en poudre.
Cent ans, c'est perpétuité peu croyable,
s'il n'est personne pour ravaler.
Et les temples cérémonieux deviendront tous
croulantes pierres, chutes de pierres,
excavation démesurée.

— *Ainsi va le monde, messieurs.*
Ils s'étaient faits à leurs demeures
et ils fondaient, morceau par morceau, lentement,
doucement dans la terre.
N'en reste plus.

— Ainsi... Ils n'occupent plus leurs terrains !
Leurs droits de propriété sont prescrits — À nous !

— Ne remblaie pas les vieux trous, camarade fossoyeur.
Une clientèle impatiente, infatigable,
attend la place : les nouveaux ayants droit.
Neufs regrets éternels au printemps neuf. L'Ordre.

Que le grand vent m'aide à nettoyer ce ciel mort !

Le doux penchant des morts, c'est un grand ciel
                                        [venteux,
par l'air bleu parsemé d'hirondelles et de feuilles.
La Toussaint, c'est leur fête. Nos allées et venues
leur sont rumeur paisible... Notre présent furtif,
c'est pour distraire les morts, c'est un essaim de
                                        [passereaux
Il faut les laisser dans les arbres et partir.
Ils sont entre eux, ils se tiennent entre eux,
« ceux qui s'aimèrent ».
Et s'ils ne s'aimaient pas — je ne suis pas leur juge —
qui peut leur donner quoi ?

A-t-on délogé mes morts aussi d'un cimetière ?
Mes morts ? Mais qui est à moi ?
Je n'ai pas visité aujourd'hui ceux qui me tiennent
dans un autre enclos noir. Je ne sais plus leurs places.
Et je me divertis à rêver avec ceux-ci...
... J'ai le droit d'oublier parfaitement mes morts.
Je ne veux pas qu'ils m'obstruent avec leurs larmes.

Adieu à vous, sur le bord noir de la colline,
inconnus, cent milliers,
image sans rancune et la mienne prochaine.

                    Père-Lachaise, 1er novembre 1965

VIEUX PAYS

Ombre d'une aube qui fut,
offrande imprévue du souvenir
pour une vie embellie.

1953

à Georges-Emmanuel Clancier

Les légendes se forment sous nos pas. Déjà
la nostalgie embrume les éclats
d'un pays qui se défait,
va l'anéantir pour le parfaire plus poignant.
J'ai trop tardé à l'honorer, il est temps.
Homme de l'avenir, il te faudra le connaître en rêve,
celui que nous avons aimé dans nos yeux, sous nos
[mains.

Monde premier, reconnaissable encore en l'aujourd'hui.
J'aime ceux qui l'écoutent et qui savent l'entendre,
ceux qui ont gardé l'oreille de leur enfance,
les seuls héritiers d'eux-mêmes dans un souffle qui vient
[de loin.

Ils avancent entraînés par des voix qu'ils retrouvent.
Ils vont se tenir dans une fête à ses derniers feux.
La *bienveillance* derrière chaque tournant devinée
n'avait pas menti. Voici qu'on tire l'eau à la pompe,
la soupe cuit avec des poireaux et le pain
devant les collines étagées est rompu,

153

l'homme de l'ancien pacte est là toujours,
grave et qui s'affaire car il est tard.

Nous qui sommes revenus quelquefois
dans cet enclos que l'ombre embellit —
après tant de passages la conscience est lasse,
alourdi notre élan trouve ici un répit —
voici, comme un arc-en-ciel d'après nos désastres,
que des yeux de l'homme fidèle, de ses mains,
s'éveille et nous emporte parmi elle une gloire
où les prises des racines et l'impatience de lumière
composent une réconciliation timide. Oh ! Sachons
                                        [accueillir
le langage de l'autrefois dans l'âme bouleversée !

Pour gagner sa place dans l'harmonie violente
il a pris parti pour la terre,
le grand frère enfantin qui nous a précédés.
Dans la compagnie de la douleur qui ne démordra pas,
dans la modestie de son courage avec confiance,
chaque jour il renouvelle sa réponse
aux paroles de la terre.

Oh ! S'il est en accord avec elle...
Mais le sait-il même, il est si simple !
Il ne démêle pas ses tourments, il se dérobe.
Il sait seulement qu'il faut pâtir et tenir ferme,
au-dessus de l'abîme entrevu, ici-bas,
dans l'accomplissement perpétuel de ses tâches,
dans la lourde camaraderie des saisons de sa vie.

La difficulté des nœuds dans l'aubier jeune,
la varlope adroite des compagnons,
les longs chemins couronnés par le chef-d'œuvre :
une table, un escalier, une charpente.
Un maillon à la chaîne et des chansons à boire.
Ô rochers et alignements des blocs des carriers,
jeux d'équerre et rites inquiets, maîtrise honnête.
Ô travail et douleur et vaillance, ô misère,
fierté des innocents dans la chaîne
et la gaieté du diable, débonnaire !

Il appareille sa vie comme on bâtit un mur,
avec des sentiments droits et des désirs inquiets,
avec des égards pour chaque pierre et de la bonhomie,
avec des projets et des fumées, avec des ruines,
avec ce qui dure peu, qui est éternel.

L'amour se meurt, sinon la mort le résilie.
Ils s'aimaient tant... La terre est noire et tout est bien...
Tout est mal ! Est-ce qu'il l'ignore ? Il respecte l'ordre.
Serviteur trop docile, sous les gestes de la soumission
un secret retenu chuchote dans son langage,
et jusqu'auprès des reposoirs solennels je crois que
                                        [brûle
un vent réfractaire, mêlé à l'adoration.

D'où sort son Dieu ? Il l'a tiré de ses marais,
de l'eau dangereuse où soufflent les monstres,
dérivation de l'unique source qu'il devine,
influant tout désir, pure et sans nom...
Intime ennemi dont il ne prend pas la mesure,

maître ou esclave de l'énergie interdite,
son regard lui forme un visage et son élan l'exhausse.
Il le couronne pour s'exorciser, pour pouvoir vivre ici.

Haut fronton édifié au-delà des nuages
pour sommer les œuvres de son effort patient,
caution de la bonne mort sur la vie difficile,
sceau pour les calamités et les exploits,
cet homme avait créé Dieu pour sa gloire,
pour sa récompense et par fierté.

Comme la vie peut devenir une clairière habitable
jusqu'à repousser l'ombre qui s'approche !
Rival des rivières élancées et des montagnes
qui le soir venu pâlissent et l'apeurent,
à l'école de ce qui l'émeut il forme de la beauté
pour se faire l'âme plus fine et pour la protéger.
Les meubles luisent auprès de lui, dans la chambre
où sont passés les grands-parents qu'il retrouvera.
Donateur dans la compagnie des autres, donateurs,
à l'appel d'un lointain qui s'accomplit indéfiniment
au long de la rêverie où quelle rumeur,
émergeant du profond, promet la mer,
il regarde les armes de son courage :
la toiture et le feu, la charrue, le cadran.

Et moi je l'ai connue aussi dans mon enfance,
la beauté sortie de la main pour notre usage familier,
agréée dès l'aube par la nature... L'enfance
a prolongé les frontières d'une contrée qui fut,
accueillante partout selon le lieu et la lumière.

156

Les formes qu'approfondit un éclat de l'origine,
les rapports saisis dans les vieux gestes adroits,
avec les sortilèges naïfs, les recettes pour conjurer
appartiennent à ceux qui les aiment encore parmi
                                        [notre âge,
éclaircies brûlantes, sourires d'une alliance qui a duré,
bouffées d'une patrie qui me préserve et que je comble
au cœur réservé d'une image.

Les déploiements et les encoignures,
la maison où l'on descend et où l'on monte,
avec le grenier qui inquiète et la cour pour rassurer,
l'arrangement de la verdure et du soleil fidèle,
avec les pierres, avec la lune et la pluie fine, avec le
                                        [vent,
la maternelle maison où l'on est bien.

J'ai participé à la douceur, à la colère,
aux prestiges entrevus parmi les savoirs quotidiens.
Vieux pays en lutte, avec des manières avenantes...
Mêlé aux bêtes pensives, aux roues en mouvement,
j'ai attendu dans son attente, j'ai connu la plénitude
que me promettait dans le défaut émouvant
une saveur incomplète.

Midi.

L'œuf du clocher, l'horloge, est doucement épris
de l'immobile été, le temps le couve et dort.

157

Déjà il n'est plus rien qui soit d'ici. Déjà
le grondement où s'annulait le monde s'est tu.
Le grand jardin dévoué aux souffles s'est abîmé,
il m'enlève.

Je m'étends avec lui jusqu'aux confins du monde.
Je m'enfonce dans ses creux, je respire par ses herbes.
Je me suis trouvé, il me semble, dans ses sources.
Entré par les flaques, dans ses eaux dormantes
une fois je me suis réveillé.
Ou si je l'avais cru ? Mais là dans la prairie,
de l'autre côté si proche, dans le bosquet de noisetiers.
C'était là... Ou dans cette chambre sombre à cette heure,
sous les solives... L'horloge veille. Elle était dorée...
Et je fus hors du temps.

... Je suis tôt revenu. Je ressasse ma peine,
je poursuis ma protestation contre le temps.
Dans l'infirmité perpétuelle de ma vie changeante,
dans mon histoire,
j'ai voulu enfreindre les limites, retrouver
l'afflux de l'énergie sans voix, le chant absolu.
J'ai tâtonné sans relâche, veillé, gâché. J'ai vieilli.
Je bute encore sur moi. Je me souviens. Je m'éloigne.
Je suis devenu plus fort et je suis plus opaque,
dans un monde qui ne répond pas.

Nous vivons mal à l'aise ici, nous le savons.
Notre ambition nous a fourbus, notre honneur.
En vain se sont accrus l'impatience et le pouvoir :
nous ne créons plus de dieux, nous sommes délaissés.
La Mère folle est partout avec nous dans la danse
et nous n'exultons pas.
Pour avoir laissé perdre la bonté ténébreuse
des objets fraternels, nos horizons se sont fermés,
nous sommes bien plus pauvres.

En vain des cris nouveaux scintillent dans nos rues,
klaxons et néons, sifflements des autos comme des aras.
Sur les immeubles de rapport de gras balcons s'étalent,
et tout est geste vantard. Les devantures
du petit commerce sont infatuées de marbre.
Le béton stérilisé recouvre uniformément
mille corps trépignant.
Qui a déraciné les tendres cheminées, dispersé les rêves
qui s'écaillaient ? L'homme d'aujourd'hui ne respire
                                            [plus
par les pierres de ses maisons. Il n'y a plus de porte
pour le conduire à un jardin caché.
Luxe vide, solitude fardée. Sous les mots,
du matin au soir les cœurs tremblent.

La nature cependant a conservé la noblesse ancienne.
Toujours les oiseaux jouent
dans l'espace entre les hameaux.
Les rivières passent. La forêt sur la hauteur.
Dans l'azur au-dessus de la montée, le soleil
ne se détourne pas du vallon perdu.

Les jeunes bêtes aux pattes grêles dans l'herbe grasse,
les lapins mal rassurés parmi les essarts,
le chemin après les maisons, le seneçon et l'oseille,
rien n'a bougé : les animaux courent par les terres
ou regardent la même aube se lever sur les vergers.

Ô arbres vieillards, donateurs modestes, solennels des
[fruits !
Ô troupeau enfantin des arbres, petits fronts taurins
empanachés de tiges blanches, par le grand vent
[résistant,
assaillis, ô frères tutélaires !

Nous vivons séparés sous des drapeaux de paille,
mannequins sur des lits-cages, sur une place vague
où l'infâme misère au soir a resplendi.
Leurre et détresse. Je n'en sors pas. Je porte une corde
[gelée.
Orphelin parmi les autres dans la foule déserte,
je tâtonne à la recherche d'une plénitude,
d'une action qui m'y porterait.
S'avance à pas lourds l'avenir aux fanaux troubles.
— *Il se prononce dans trop de cruauté.*
— *Il m'a trompé déjà. J'en distingue mal le visage.*
— *Je me force à l'espoir. Je suis seul. Je n'y vois pas.*

Il me faudra rêver... Mais je touche la terre.
D'un présence obscure, des éclats demeurés
apparaissent encore pour peupler mon voyage,
insufflent la légende
parmi la parade inutile de mes pas.

160

J'en trouverai assez pour que j'ose poursuivre.
Je regarde : je vois les murs ce soir
roses comme les pommiers. J'avance... J'imagine.
J'imagine ou je vois. Et voici la merveille,
sur la route qui s'approche du village,
une église végétale sur le pavé du roi.
Un charron arrange des jougs bleus. Aux boutiques
du bourrelier et du menuisier me transporte
la douceur des objets d'autrefois bien aimés.

Vieux pays qui déjà n'est plus assez vivant
pour m'interdire de le rêver si tendre.

Déjà s'éteignent les derniers fours à pain,
s'éloignent les dernières fumées d'herbes.
On enlève de la haie la roue abandonnée.
Les signes changent. Se meurt la patrie désirable.
Vieux pays qui nous offrait dans tous ses jardins
la dédicace d'un parfum de réséda.

La Sorcière de Rome.   6.

OÙ DIEU REPOSE

1958-1968

OÙ DIEU REPOSE

à Fernand et Andrée Dubuis

Par l'étroite vallée
dans l'étalement bref
le corps doré de Dieu,
paisible, inoubliable,
entre les peupliers
frappés par la lumière,
noirs élevés très haut
parmi les buissons maigres
sur les vergers dressés,
sous les frontons heureux de la neige,
clairière de son vrai corps
par la secrète montagne.

18 mars 1962

EN TOURAINE

Le désarroi dans la bienveillance des arbres,
la barrière devant le rocher creux, l'herbe en surplomb,
le balancement du soleil par la forêt jeune,
de grands parterres de nuages circulent infiniment.
Et l'ange qui sourit dans la pluie enfantine,
toute bleue la mort prochaine.

31 août 1963

DES NUAGES EN MASSE

Des nuages en masse gauchement cheminent
sur la plaine,
où des mille yeux tremblants forment au soir
un seuil immense bleu...
Après le fouet noir de l'orage pour aviver
la clarté crayeuse des orges,
la lente vallée s'illumine par la brume, une opale.
Et tu fourgonnes, toi, au grand ciel immobile
pour retrouver tes ombres,
dans les gouffres qui s'ouvrent par les nuages.

Juillet 1965

167

À SENLIS

Le grand vaisseau dans un jardin.
Larmes moussues par les cris des corbeaux
qui jouent parmi les joues des pierres.
La joie recueillie derrière les hauts porches.
Jadis enfantin sourit... Je vois les chevaux.

28 septembre 1958

FEU D'HERBES

Les chevaux pensifs et qui divaguaient.
Le corbeau déjà intéressé.
C'est l'enfance avec ses terres meubles,
l'avenir ramassé dans un instant.
Les noires amours parcourues
dans l'odeur d'un feu d'herbes.

25 février 1965

AU SEUIL AUGUSTE

à Jean Cortot

Au seuil auguste de la mer,
la prairie.
Mille oiseaux passent lentement.
Le cheval regarde avec bienveillance
dans le ciel tout à coup bleu charron.
Puis le vent hèle par l'étendue, tout se hâte.
Au loin
les découpures violentes de la mer,
le corbeau, l'enfant taciturne.

Saint-Valéry-en-Caux, 10 novembre 1963

ASSISI

Petit couvent par la ville haute,
la clarté de Dieu à ses colombes.

Qui l'avait dit ? Je disparaîtrai
dans l'émerveillement du jasmin.

Juin 1965

NULLE RAISON

Il n'a pas de raison d'être là dans la neige,
ses yeux jaunes crevés,
la gourde, la colline, le kaléidoscope
très près, très loin, noircis,
la tête par le fouillis des saules tranchée ras.
Et pourquoi, parce qu'un soleil y viendrait luire,
le corbeau solitaire n'oserait-il ?

Pourquoi par la montée le hameau, les maisons,
les vignes en rangée, les moissons engrangées, fumées
                                          [chaudes ?
Le rat sourit victoire. La neige aussi s'embrume.
Des fumées échangées. La suie. Le rien précaire.
Mais quelle est la raison d'être là ou de n'être ?

28 janvier 1964

172

PAIX À SON ÂME, À CHARMOY

Paix à son âme, à Charmoy.
Il était forgeron, il a passé.
La veuve est dans l'étang, fini veuvage.
Le neuf étang, la maison recrépie.

On joue aux boules dans les orties,
dans les pâtis. On joue aux barres.
Les nouveaux enfants là.
Le serpent là aussi, fini serment.
Le corbeau toujours crie. Les labours.
Paix à son âme, à Charmoy.

24 février 1965

173

LES BOIS-FRANCS

Il y avait aussi le jour des Innocents.
Le droit d'usage pour tous,
une fois l'an commémoré. Une joie franche,
au défaut des contraintes. L'eau fraîche,
entre les deux arbres jaillie. C'est en mai.

On n'épuise pas. On fait plus que glaner.
Bénéficiaires, les descendants d'un combat ancien.
Les terres allouées par droit d'héritage, qu'ils disent.
Mais les rusés aussi ont pris droit.
Et les araires s'avancent toujours vers les chaumes,
chacune bien en mains dans la main fine.
Ô l'innocent pays.

Le porc était confié aux jachères, en ces temps-là.
Et les enfants dans les bois gauchement s'espaçaient.
Le parcours s'agrandit. Le temps profite.
Vaillance qui se plaît à s'ignorer, patience !
Ô l'innocent pays.

Folle très, se tenait la Mère et cachée.

Contre la loi, contre les usages. Dans l'usage aussi,
l'immémoriale en de certains jours triomphant.
Aujourd'hui la même là, partout, sans répit,
la Mère folle.

24 février 1965

DANS UNE MAISON FORTE

à Monique Mathieu

Dans sa rêverie forte,
pour oser son grief
aiguisant le débat,
ou bien pour dénier
le malheur ou l'enfreindre,
tâtant, heurtant les portes.

Pour rompre, pour gravir,
sur l'escalier sans cesse
en l'obscur interdit,
dessaisi, poursuivant,
mordant, mordant le jour.

De la galerie bleue,
au soleil qui s'efface,
l'étalement total :
en une seule boule
y tourner confondu,
par la nuit se résoudre.

... Impalpable révolte,
l'abîme et le défaut,
soi-même toujours là,
inculpant la récolte.

... Le haut cri des cigales
continûment tramé,
les chatons, l'acacia,
l'éclaircie, le noyer,
la vie en nouveau nid
qui vagit, qu'on emporte,
ô journée maternelle
si lente à s'écouler.
Et l'aubier, les nuages.

Couvrant les rumeurs mortes
et toujours qui sinue
au droit des deux versants,
exhaussant son délire
par une raison forte,
marquant, gardant le pas,
reprise et sourieuse,
insolente, éperdue,
lente rêverie haute.

Brahic (Ardèche), 18 juillet 1968

177

Ouvrez, ouvrez vos cœurs
jusqu'à l'odeur d'étable.
Frères, Dieu est né là
dans une gorge rude.

Si la voûte des cieux,
ils la veulent combler
à joncher les agneaux
jusqu'au plein cintre bleu,
rameutez les agneaux.

De montagne en montagne
nous combattrons la Bête.
Nous brûlerons la terre
à renoncer nos biens.
Tu nous as parcourus,
grand Proscrit, tu nous sauves.
Par nos avoirs perdus
où tes traces demeurent,
terrasses sans répit,
socles de tes hauts pas
grimpant par l'étendue

178

ou descendant sur nous,
énorme Dieu sauveur.

Dans les trous des rochers
nous trouverons pâture
et gîtes en passant.
Le Livre est aliment,
la Parole est eau vive.
Nous prions, de nos bouches
c'est ta voix qui surgit.

Papillons du vrai roi,
pollen errant sans cesse
au vent des arbres verts,
inspirés innocents,
au bout de la misère
l'Absent que nous savons
éclatera au jour.

Entre nos cœurs ensemble
transhume Sa Lumière,
le désert est azur.
Frères, ouvrez grand les ailes.
Le sauveur est amour.

L'Hospitalet (Lozère), 18-25 juillet 1968

L'ENCLOS D'ARGOAT

à Robert Antelme

S'il vient le rebelle
pour flairer nos morts,
ému, interdit,
s'il vient étranger
après les traverses
dans l'enclos terrien,
de l'épais des pierres
qui le conduira ?

Millénaires patients,
le défrichement
de nos corps hâtifs,
la tâche accomplie,
les honneurs loyaux,
tout le compte est là.

Notre grange auguste,
les intercesseurs
et les instruments

180

debout assemblés,
le lieu sans partage,
le commun accès,
les savoirs rêvés,
bleu ciel caréné,
berceau qui réchauffe.

C'est pour honorer
la source et l'étable,
le seigle et la mer,
nos avoirs chétifs.
C'est pour attirer
la foudre de grâce,
pollen murmuré
à tous cœurs dépris.
C'est pour accueillir
la table prodigue.

Pain de la vie dure,
nos combats, l'issue.
Les dragons, les anges,
les éclats enfouis
et lentes images
en bois figurées.
Je reçois, je donne.
Ô la main qui chante,
et bonté saisie.

Pour tous une offrande,
le plus délaissé.
Pour le bœuf et l'âne,
sous l'échelle obscure,

quand ils reviendront,
du foin disposé.

Ouvrant la lumière,
le pétrin sacré
où se prononçait
le verbe de vie
du grand corps gisant,
notre Dieu de gloire...
L'entrée du vrai juge,
nul hameau soustrait
aux bras éperdus.

— Tous les morts sont morts,
l'enclos ombrageux.
Au charroi des os
nul ne s'éleva,
tout ce repos gronde.

Dans la pleine terre,
la mer établie
comme un hortensia,
le bateau monté
sur la lande ouverte.

S'il n'a plus sa place,
des lames funestes
l'ont disgracié,
le confirmeront
malheur et vaillance,
dans sa voie secrète.

182

Les saints guérisseurs
entrouvent un cil.

Et lui sourira
par tout le ciel pris,
pour le divertir,
la perle qui change.

Camaret, 5-14 août 1962

GNOMIQUE

Tout avait trop traîné dans la chaudière sale.
Il y restait des vapeurs de vomi.
Rien n'apparaîtra net si tu remâches
ta vie qui veut sortir.

La volupté du courage et le malheur de plaire,
le héros vaincu, l'étincelante mijaurée,
les enfants qui se perdent, les animaux qui luttent,
tout est comme il doit être, comme les pierres,
comme est la voie lactée.

Il n'est pas d'innocence, il n'y a de malice.
Nul mérite et la plainte est vaine.
Comme l'appelant dans la cage tu es forcé.

1959-1960

LA CRÉATION DU MONDE PAR MILENA

> *Tout s'écoule...*
> *Le temps est un enfant qui joue...*
>   H.

pour Milena Pörtner

Ich bin die Milch, dit Milena,
mit dem Onkel Biberone
und mit Onkel André.

Paronto, je ris, dit Milena.
Mon ours aussi qui voit
tout ce grand chien qui tourne
autour de son plumet.

Le monde est entraînant,
dit Milena.
Je suis le lait, j'aspire.
Le monde aussi c'est moi
et la grosse maison,
le lac et la forêt,

185

la voile et le plein vent,
le cerf-volant, l'oiseau,
l'air bleu et les sourires.

Tout joue, dit Milena.
Et tout, je vous le donne.

Zurich-Paris, 18 février 1964

DEPUIS TOUJOURS DÉJÀ

à Bernard Pingaud

Le menu bruit solennel des insectes morts
dans la verdure confiante.
L'élan fragile du courant.
La lente écume de l'aubépine.
Les chemins s'enfonçant jusqu'au ciel.

Les éclaboussures veinées, les parcours qui s'égarent.
Le premier enclos abandonné avec les meules.
Ô prairie mince, le cœur qui s'entame.
De nouveau sans fin au soleil dressé
les montagnes couchées en travers, la menace.
Et la saisie pressentie, le murmure.
Le seuil encore différé... La joie.
Le souffle qui tournait. L'incertain versant.
Les taches qui s'élargissent. Le havre oublié.
Le répit glorieux au flanc des femmes.
Le siège et le piège. Le pont rompu.
La dernière approche.

C'était le temps où s'écroulaient les idoles grasses
pour la tendre hilarité de Dieu.

22 mars 1964

LE CHEMIN DES DEVINS

1956

à *Georges Borgeaud*

Feuilletage de géantes pierres pour qu'en sorte
au soir un papillon, serait-ce le secret ?

Quelle énigme je poursuis lorsque je monte
entre les murs qui tournent, chemin des devins ?
Quelle mémoire enfouie me conduit à sa recherche ?
Quelle menace ou quelle promesse, dans une odeur
respirée à travers l'odeur du thym ?

Majesté des murs élevés sans fin
et le sol c'est le roc.
La roue des chars y a creusé des ornières.
Sentinelles patrouilleuses des arbres sur les bords
ou leurs brassées de fleurs offertes.
Le ciel enfermé, dans les trous des pierres
sourit le coquelicot.

L'issue est-elle au loin plus qu'en cet instant ?
Le temps est rayé de soleil et d'ombre,

le Lubéron au large front a disparu.
Par-dessus la plaine ratissée de vignes
un serpent de pierres, se lovant avec la montagne,
parcourt tout le pays alentour.

Entraîné hors du chemin, tu ne le quittes pas.
Les maisons délaissées, il les porte avec toi,
les clôtures défaites, le jardin recouvert,
l'odeur de l'âtre, ancienne, dans la salle voûtée,
le figuier au travers du moulin à huile.

L'enclos précieux sous les ombrages retirés,
les essences venues d'ailleurs, l'ordonnance d'un
                                    [labyrinthe,
les débris d'un ange, dispersés dans la mousse,
de l'eau qui coule dans les bassins ouvragés.
Puissante oisiveté ouverte parmi l'abîme torride.
Quel dimanche perpétuel de rêverie !
Quel ravissement fut autrefois ici !

Temps passé, ravagé !
La réponse, les raffinements ensemble sont emportés.
Le faux marbre se mêle au lichen sur la pierre.
L'instrument aratoire, devenu ferraille,
s'est enfoncé au-dessous des courges vénéneuses.
Buissonnent les chênes malingres.
Quelque safran jaunit encore, d'un champ qui fut.

Toi qui crois entendre le cri du héros vaincu
lorsque le mur s'effondre, que viens-tu chercher ici,
rêveur chétif, avec ta nostalgie ? Ce combat,

où l'homme en mille années affronté à la pierre
de ses mains laborieuses l'appareillait,
s'est arrêté, il ne s'est pas tu.

Rumeur par tous les champs clos dressés
pour que la terre se formât entre les murailles
et que s'établît l'olivier en ordre sur des terrasses !
L'innombrable édifice, aujourd'hui gisant
parmi les coquilles d'escargots et les immortelles,
une stature perdue surmonte encore
l'entassement des pierres.

Champ de bataille où tous les éléments font leur partie,
théâtre de plateaux et de gorges de pierres
à chaque détour renouvelé
pour que se multiplient le spectacle et l'écho,
porche ouvert sur le nuage, gradins dans la broussaille,
culs de four sans plus de feu jamais.
Langage étrange de ce pays dans le vent,
voix au fond de toi réveillées,
celles de la fierté et du délire.

Qui départagera les bons des mauvais songes ?
Qui peut se préserver des pouvoirs dangereux
si le plus attentif, sous les coups du dehors,
enfiévré s'abandonne ?
La ténèbre du soleil agit dans l'âme.
La folie attaque à l'intérieur, oui.

Du combat oublié s'anime un sortilège
avivé par l'absinthe et le vent.

L'envol des pies n'a plus de sens,
les devins n'ont pas transmis leur pouvoir.
L'accord guerroyant avec la nature terrible,
si c'était le secret, comment l'entendre ?
Le long des sentiers interdits par les pierres
l'eau sacrée n'affleure plus dans les nymphées.
Ou si quelque reste en croupit, c'est pour qu'y boive
la bête monstrueuse qui naît sous les ruines.
L'échec prévaudrait ? L'énergie hostile ?
C'est le scorpion qui tient le fléau de la balance ?
Quelque part dans les creux, sous les tuiles brisées,
tu entendras l'horloge de l'enfer.

Chemin si débonnaire dans le chant des ramiers !

Il faut sourire. Partout est pire qu'ici, peut-être.
Rien qu'un chemin, rien qu'un pays qui disparaît.
Débris d'un grand transport poursuivi dans les temps.
Le lent désastre se précipite aux derniers jours,
encore un peu, l'informe et le chaos.

Les troupeaux ne passent plus ici, ni personne.
Qu'importe le visage de l'homme qui va,
le dos labouré par le soleil, ou la nuit
craignant la lune peut-être maléfique.
Une petite armée de sauterelles part devant lui.

Et le moulin est apparu entre les arbres.
L'église comme une grange auguste, une acropole
sommant la Jérusalem pressentie, nous pacifie.
S'efface l'enchantement pour une autre merveille.

194

Et rien que l'air vif, le vent fou comme autrefois
parmi la folle avoine, et tout s'endort.

Gordes, juin 1956

LES PAROLES DU POÈME

1962

LES PAROLES DU POÈME

Si mince l'anfractuosité d'où sortait la voix,
si exténuant l'édifice entrevu,
si brûlants sont les monstres, terrible l'harmonie,
si lointain le parcours, si aiguë la blessure
et si gardée la nuit.

Il faudrait qu'elles fussent justes et ambiguës,
jamais rencontrées, évidentes, reconnues,
sorties du ventre, retenues, sorties,
serrées comme des grains dans la bouche d'un rat,
serrées, ordonnées comme les grains dans l'épi,
secrètes comme est l'ordre
que font luire ensemble les arbres du paradis,
les paroles du poème.

Janvier 1962

LA COMMUNE DE PARIS

1959

LA COMMUNE DE PARIS

La France est là couchée, elle est debout qui chante.
Jeanne d'Arc et Varlin. Il nous faut creuser loin,
ma patrie qui remue sous les pavés épais.
La Commune pays tendre, le mien, mon sang qui brûle,
de ce sang qui va remonter entre les pavés.
Je le vois quand le peuple joue sous le ciel veiné,
quand tombe encore le soleil du vingt-huit mai,
si l'accordéon mène à la joie la vie pressante.
C'est la vertu du peuple sous l'oriflamme, un cœur tendu,
mon cœur qui bat quand a passé l'étrange
nuit de l'égorgement, et bat encore à la bonté
du peuple enfoui sous les pavés qui joue, qui pleure.

Place des Abbesses, 19 mars 1959

NOTE

La passion qu'André Frénaud a toujours éprouvée pour la peinture l'a amené à publier un grand nombre de poèmes ou groupes de poèmes d'abord en éditions à tirage restreint ornées de gravures ou de lithographies. C'est ainsi qu'au cours des années, il a été illustré par des peintres de plusieurs générations, depuis Jacques Villon (dès 1944) et Fernand Léger jusqu'à Geneviève Asse, Alechinsky et, en 1983, Antoni Tàpies.

Cette circonstance ne suffit pas à expliquer que la publication de ses poèmes en édition courante soit très souvent tardive par rapport à leur date de composition. Une autre raison, c'est la remise en question anxieuse du poème écrit ; sa reprise, après interruption, fait qu'un poème très court peut attendre des années, et à cause d'un seul mot, avant d'être considéré comme terminé.

Enfin, c'est aussi et surtout le souci d'articuler un livre selon les exigences inhérentes à celui-ci. A.F. aime aussi l'architecture. Et chaque livre est éprouvé comme ayant sa façon propre d'assurer un équilibre entre des éléments qui s'opposent comme entre les tonalités et les masses.

Tel livre exclut certains poèmes : ainsi La Sainte Face, paru en 1968 et envisagé en tant qu'une certaine unité de contraires, excluait Vieux pays qui a attendu Depuis toujours déjà (1970) pour sortir en édition courante. Vieux pays qui, écrit en 1953, paru en serbo-croate en 1960, a été aussi jugé indigne de publication, pour quelques difficultés mineures, dans Il n'y a pas de paradis. Selon A.F., un livre, tel qu'il le pressent, même s'il paraît achevé, peut encore exiger quelque chose qui lui manque et qu'il faut attendre sans que l'on sache bien ce que ce quelque chose sera. Avec La Mort d'Actéon *(1967)*, Depuis toujours déjà *devenait un livre possible, indispensable, un livre fait.*

Tous ces problèmes, ainsi que tout ce qui a trait à l'expérience poétique, sont évoqués dans les entretiens avec Bernard Pingaud réunis sous le titre Notre inhabileté fatale *(Gallimard, 1979). Et l'on pourra se reporter également à l'hommage à A.F. qu'a publié la revue* Sud *(1981, n° 39-40).*

*

André Frénaud est né en 1907 à Montceau-les-Mines. Dès avant la guerre, il a beaucoup voyagé (en URSS, en Espagne) et, depuis, il est très souvent allé en Italie, dont les grandes villes sont à ses yeux comme des champs privilégiés d'une interrogation sur la destinée. Il vit aujourd'hui tantôt à Paris, tantôt dans un village de Bourgogne.

Peter Broome est maître de conférences à la Queen's University de Belfast.

Co-auteur de deux guides de lecture de la poésie française, The Appreciation of Modern French Poetry 1850-1950 *et* An Anthology of Modern French Poetry 1850-1950 *(Cambridge University Press, 1976), auteur d'une monographie sur* Henri Michaux *et d'une édition annotée d'*Au pays de la magie *(Athlone Press, Londres, 1977), aussi bien que d'études critiques sur Rimbaud, René Char, Philippe Jaccottet, Julien Gracq et Robert Pinget, il prépare actuellement des études consacrées à Baudelaire et André Frénaud.*

*

Principales œuvres d'André Frénaud :

1947 Poèmes de Brandebourg, *avec des gravures en couleurs de Jacques Villon. Epuisé.*

1949 Poèmes de dessous le plancher, *suivis de* La Noce noire.

1962 Il n'y a pas de paradis *(réédité en 1967 dans « Poésie/Gallimard » avec une préface de Bernard Pingaud).*

1966 L'Étape dans la clairière.
1968 La Sainte Face.
1970 Depuis toujours déjà.
1973 La Sorcière de Rome.
1977 Les Rois mages, *nouvelle édition.*
1979 Notre inhabileté fatale, *essai.*
1982 Hæres, *poèmes 1968-1981.*

En préparation :

Ubac et les fondements de son art.
Gloses à la Sorcière.

Préface de Peter Broome

LA SORCIÈRE DE ROME

Ce poème se compose de quinze mouvements :

DEPUIS TOUJOURS DÉJÀ

TRENTE ANS APRÈS, PARIS

Trente ans après, Paris.

209

DÉJÀ PARUS DANS LA COLLECTION

Ce volume,
le cent quatre-vingt-quatrième de la collection Poésie,
composé par SEP 2000,
a été achevé d'imprimer sur les presses
de l'imprimerie Bussière à Saint-Amand (Cher),
le 2 février 1984.
Dépôt légal : février 1984.
Numéro d'imprimeur : 378.
ISBN 2-07-032250-5./Imprimé en France.